JN123997

世界の終わり

を聖書はどう預言しているか

デレク・プリンス　著

Published by Derek Prince Ministries-Asia/Pacific
PO Box 2029, Christchurch, New Zealand 8140
admin@dpm.co.nz
Printed by Derek Prince Ministries

B093-200-JPN
HomePage : https://ja.derekprince.jp/

デレク・プリンス・ミニストリーズ

日本語翻訳版について

この本の元となった英語版「PROPHETIC GUIDE to the END TIMES - Facing the Future without Fear」は、デレク・プリンス師の生前のメッセージビデオ、一九九五年の複数のメッセージをもとにデレク・プリンス・ミニストリーズ（DPM）が編集し、二〇〇八年にChosen Books（アメリカ）が出版した。英語版は一四章で構成されているが、日本語版出版にあたってDPMの了承を得て三つの章を割愛、一章を「はじめに」とし、全一〇章とした。

本書では、聖書の引用は主に「新改訳聖書第三版（一九八四年）」を用いているが、一部分は英語聖書から直訳を載せている。

不安と恐れから解き放たれ、未来に向かうために

推薦の言葉

私が初めてデレク・プリンス師を知ったのは、カセットテープのメッセージを通してだ。一九七三年のことで、不信仰と霊的な暗闇の中にいた私は、知り合ったクリスチャンの友人に救い出されたばかりだった。私がたくさんの疑問を抱えていたので、彼らは聖書のメッセージテープを箱いっぱい貸してくれた。その中にデレク・プリンス師の「十字架」というタイトルがあった。そのメッセージの何かに魅きつけられて、私はそれを何度も何度も繰り返し聞いた。

今もそのテープの、何百人もの聴衆が椅子を引く音が耳に残っている。デレク師の講壇からの招きに応えて、祈るために椅子から立ち上がる音だ。それを聞きながら、人間の人生を変える神の言葉の力を私は理解した。

翌年の夏、私は主に人生を捧げる決心をし、テキサス州ダラスの聖書学校のカンファレンスに参加した。デレク・プリンス師が講師のひとりだったからだ。彼は「悪霊の力からの解放」を教えていた。それから私は、彼の本を読み始めた。

デレク師はイギリス人で私より三十五歳年長だった。イギリスで最も由緒あるキングズカレッジで学び、最年少で特別研究職となった。哲学や文化に精通していたが、その視点と教えは徹底的に聖書に根差していた。高い知性、聡明さ、能力は学術界で尊敬されるべき存在だったが、彼の信念は聖書を基盤にしてゆずることはなかった。奇跡と生ける神の力の現われを信じていた。

デレク・プリンス師は、イスラエルと中東に深い関わりを持っている。それは、彼が第二次世界大戦中に英国軍の衛生兵として従軍した頃にさかのぼる。北アフリカで三年を過ごした後、彼はイスラエルに配属になった。そこで終戦を迎えて間もなく、八人の養子を育てていた信仰の女性リディアと結婚。一九四八年にイスラエル国家が生まれるまで家族はそこに住んでいた。彼はまさにイスラエルの誕生を目にしている。

デレク師は教会とイスラエルとの両方を深く愛し続けた。神はイスラエルの民とイスラエルの地に対するご自分の約束を忠実に守られること、終わりの時に、それはさらにはっきりと現われること、をデレク師は教えた。この教えは、私の数十年にわたるミニストリーの土台となっている。

「ブラザー・デレク」と私たちは親愛を込めて呼んでいた。人生の最後の五年間をエルサレムで、メシアニック・ジューのベンハイム・エリヤフ師とハンナ夫妻と共に暮らしていた。友人だった夫妻の家を度々訪れるうち、私たちは親しくなった。当時デレク師は、イスラエルのメシアニック・ジューの集まりの成長を助ける働きに力を注いでいた。私もハイファ市でメシアニック集会を建て上げていたので、本当に感謝している。

二〇〇〇年に私は「カルメル山・スクール・オブ・ミニストリー」をスタートさせた。世界から参加者を募って、イスラエルの地で聖書を学ぶスタディ・ツアーだ。デレク師は、記念すべき第一回の客員講師を引き受けてくれた。彼はエルサレムから行程を始め、終わりの時に聖書の預言が成就することを、マタイ二四章から教えてくれた。その内容は、まさにこの本にまとめられている。

ツアーで一緒に昼食を食べたとき、三十年前に聞いた彼のカセットテープで自分の人生が変わったことを、デレク師に伝えることができた。

亡くなる年にブラザー・デレクは、私の著書「神の津波」の原稿を読んでアドバイスをしてくれ、推薦の言葉を書いてくれた。「ずっと日本を訪れたいと思っていたが、いちどもチャンスがなかった」と話してくれたのは、その少し前のことだ。「日本へのつてがあったら、宣教のための訪問を手配してくれないか」と頼まれたが、まもなく健康状態が悪くなってしまった。そして二〇〇三年九月、主のもとへ召された。

彼は日本を訪れて教えることはできなかったが、いま、読者と日本の教会は、この本を通して、デレク・プリンス師からの霊的なプレゼントを受け取ることができる。偉大な教師にして、最後まで神の忠実な僕（しもべ）だった。

ここに短い推薦の言葉を書くことができて、本当に光栄だ。一生をかけて神に忠実に従うと、どれほどの霊的な影響や収穫をもたらすことができるか、デレク師の人生と働きは証ししてくれる。そのミニストリーは、彼を知る人、愛する人たちに、時を超えて深くインパクトを与え続けている。それは永遠に続くだろう。

この終わりの時、この本を読んだあなたが祝福され、日本の教会が必要な備えをすることができるよう願ってやまない。

二〇二一年三月一四日

イスラエル、ハイファ市、カルメル山にて

ピーター・ツカヒラ

カルメル集会　牧師／共同設立者

目次

はじめに ——聖書は「未来に何が起こるか」を語っている

　歴史を見ると、人は未来について知りたがる性質を持っていることがわかる。たとえば霊的な方法、占星術、神の声を聞く神託、占いや神秘主義で、人知を超えたことを知りたがる。これらが嘘や**まやかし**だと証明されてきたにもかかわらずだ。

　最近はもっとスマートな方法も出てきた。たとえば物理学、社会学、経済学、人口統計学や食糧生産、気象予測などの分野の専門家が、将来どんなことが起こるかを予測する。これらの研究は、よい結果ももたらしているが、結局は、どんな人間の知恵もシステムも、未来を正確には予測できない、ということを証明している。

　しかし、ここに、未来を見通す第三の可能性がある。決して誤りがなく信頼できるもの、聖書だ。聖書にはたくさんの預言が書かれている。預言とは、神が人に託した言葉だ。聖書に書かれている神の言葉だけが、未来を知りたいという私たちの願いを満足させてくれる。
このことをはっきりさせておこう。聖書を学んで従う者に、聖書は光をもたらしてくれる。それを教えてくれるたくさんの聖書箇所の中から、ひとつ見てみよう。

あなたのみことばは、私の足のともしび、私の道の光です。（詩編一一九・105）

道を進んでいく時、自信を持って足を踏み出すために、どこに向かっているかを知っていたい。神の言葉が私たちの足元の明かり、道を照らす光となってくれる。次の一歩をどこに踏み出せばいいか、聖書が教えてくれる。遠くの目的地が見えない時もあるだろう。足元の光はずっと先までは照らしてくれないが、この光があれば、暗闇の中を歩くことはない。素晴らしいことに、聖書を学んでその教えに従うなら、決して闇の中を歩かなくていいのだ。

未来を知りたいというのは、すべての人の願いだ。だから、神の意思が啓示された聖書を信じる人たちは、主イエスが戻って来る直前の時代、つまり、聖書の六六の書物の半分以上で「終わりの日」を示している時代について知ろうと、熱心に聖書を調べるだろう。

聖書教師という仕事がら、世界の国々から招かれて教えているので、私は多くの国の多くの教団教派、多くの背景を持つクリスチャンに接する中で、その逆であるということに気づいた。

いわゆる「預言者」と呼ばれる人たちの中には、神の名でイエスの再臨の日付を予告する者もいる。それが預言に対する嫌悪感を抱く結果につながる。教会の歴史の中でそのようなことが度々繰り返されて来たために、「預言がそんないい加減なものなら、私は関わりたくない」となってしまうのだ。

これは悲劇だ。というのは、クリスチャンは聖書の預言を理解する必要があるからだ。聖書の四分の一は、将来のことを予告している預言だ。聖書の四分の一を無視したら、神が私たちのために備えてくれた良いものを、余すところなく受け取ることはできない。

神は未来を語る

神自身が、自分の言葉、預言についてどう語っているかを見てみよう。聖書の至る所で、神は将来に起こることを語っている。イザヤ書を見てみよう。

イスラエルの王である主、これを贖う方、万軍の主はこう仰せられる。「わたしは初めであり、わたしは終わりである。わたしのほかに神はない。わたしが永遠の民を起こしたときから、だれが、わたしのように宣言して、これを告げることができたか。これをわたしの前で並べたててみ

よ。彼らに未来の事、来たるべき事を告げさせてみよ。」（イザヤ四四・6〜7）

神はここで挑戦している。「私は神だ。過去に起こったことも、将来に起こることも知っている。これを否定する者がいるなら、その者に、私が語る物事の深淵を語らせてみよ。」そして、自分の民に向けてこう続けている。

「恐れるな、おののくな。わたしが、もう古くからあなたに聞かせ、告げてきたではないか」（8）

神以外のものに頼り、神以外の力によって将来の予測をする者がいるが、詐欺師という正体が簡単にばれる。占星術師、占い師、易者などは、今と同じように聖書の時代にもたくさんいた。

あなたを贖い、あなたを母の胎内にいる時から形造った方、主はこう仰せられる。「わたしは万物を造った主だ。わたしはひとりで天を張り延ばし、ただ、わたしだけで、地を押し広げた。わたしは自慢する者ら（偽預言者ら NIV）**のしるしを破り、占い師を狂わせ、知恵ある者を退けて、その知識を愚かにする。わたしは、わたしのしもべのことばを成就させ、わたしの使者たち**

の計画を成し遂げさせる。」（イザヤ書 四四・24〜26）

神に仕える者が将来のことを予告するとき、神はその者の後ろに立ち、その預言が実現するのを見る。しかし、偽預言者が予告すると、神はその言葉をひっくり返し、語った者は恥をかく。神の言葉だけが成就する。神の目的だけが達成される。全能の神がそう語っている。この方が天と地を造り、人間を造り、すべてのものを造られた。神は自分が造ったすべてのものを完全にコントロールしている。

「遠い大昔の事を思い出せ。わたしが神である。ほかにはいない。わたしのような神はいない。わたしは、終わりの事を初めから告げ、まだなされていない事を昔から告げ、『わたしのはかりごとは成就し、わたしの望む事をすべて成し遂げる』と言う。」（イザヤ四六・9〜10）

「神がすべての主権と尊厳と正義を持っている」ことを正しく理解しなくてはいけない。神は決して間違いをおかさない。神がなさることはすべて正しい。あなたは「神よ、これは不公平じゃないですか」と感じる経験をしてきたかもしれない。しかし、そんなことはありえない。神はいつも公正で正しい。

次に紹介するのは、私がよく声に出して宣言する聖書箇所だ。ダニエル注1が神の絶対的な主権、尊厳を宣言している。

「神の御名はとこしえからとこしえまでほむべきかな。知恵と力は神のもの。神は季節と時を変え、王を廃し、王を立て、知者には知恵を、理性のある者には知識を授けられる。神は、深くて測り知れないことも、隠されていることもあらわし、暗黒にあるものを知り、ご自身に光を宿す。」

（ダニエル二・20〜22）

その主権は永遠の主権。その国（神の王国 NKJV）**は代々限りなく続く。地に住むものはみな、無きものとみなされる。彼は、天の軍勢も、地に住むものも、みこころのままにあしらう。御手を差し押さえて、「あなたは何をされるのか。**（何をなさったのか NKJV）**」と言う者もいない。**

（ダニエル 四・34〜35）

後半の二節はバビロンの王、ネブカデネザル注2の言葉だ。王はこのことに気づくまでにかなり苦しい経験をした。七年間、野の獣のように暮らした。髪は鷲のように、爪は鳥の爪のように伸びて曲がり、草を食べたと書いてある。しかし、七年の終わりに、王が失ったすべてを、神は元に戻した。

その時には王は別人になっていた。神に戒められ、訓練され、変えられていた。そしてこう証言した。「神よ、あなたの支配は永遠に続く。すべて地上に生きる者は無に等しい。あなたは自分の思い通りにすべてのことをなさる。天の軍勢も地に住む者も、あなたの思いのままだ。あなたの手から逃れられる者は誰もいない」。ネブカデネザルは当時、世界で最高の権力を手にした王だったが、無限に力のある方がいることを知った。それはイスラエルの神だ。神の主権を知ることが、聖書の預言を理解するために欠かせない土台だ。

神の預言が真実である証拠

聖書を通して将来に起こることを明らかにする、という神の力と方法に、まだ疑問を感じるだろうか。それなら、神がこれまでにしたことの記録を調べればいい。よく知られているふたつの例を挙げよう。ひとつはイエスの人生についての予告で、もうひとつはイスラエル国家についてだ。これらは聖書に記されているたくさんの預言の中のほんの一部だ。数千年前に語られて、すでに語られた通り細部にわたって正確に実現したものと、いま成就しつつあるものとがある。

証拠一　イエス・キリストの生涯

聖書には神の預言者たちが登場する。預言者たちの言葉は旧約聖書に記録されているが、イエスの生涯に起こるすべての重要な出来事を正確に予告している。

そして、その預言の一つひとつが実現した時「このように、聖書の言葉が実現した」と記してある。イエスの生涯にはこんなことが起こると、旧約聖書で予告された一八の出来事を見てみよう。このすべてが成就したことが、新約聖書の四つの福音書に記されている。

・処女から生まれる（イザヤ七・14、マタイ一・24～25）
・ベツレヘムで生まれる（ミカ五・2、ルカ二・4～7）
・エジプトに逃げる（ホセア十一・1、マタイ二・15）
・聖霊が注がれる（イザヤ六一・1、マタイ三・16）
・ガリラヤで働きをする（イザヤ九・1～2、マタイ四・15～16）
・病人を癒す（イザヤ六一・1、ヨハネ五・1～9）
・たとえ話で教える（詩篇七八・2、マタイ十三・34～35）
・ひとりの友人に裏切られる（詩篇四一・9、ヨハネ十三・18）

・自分の弟子たちに見捨てられる（詩篇八八・8、マルコ一四・50）
・理由もなく憎まれる（詩篇三五・19、ヨハネ一五・25）
・ユダヤ人たちから拒絶される（イザヤ五三・3、ヨハネ一・11）
・犯罪者とともに数えられる（有罪とされる）（イザヤ五三・12、ルカ二十二・37）
・服がくじ引きで分けられる（詩篇二二・18、マタイ二七・35）
・渇きに対して酢を差し出される（詩篇六九・21、マタイ二七・48）
・肉体は刺し貫かれるが、骨は砕かれない（詩篇三四・20、ヨハネ一九・36、ゼカリヤ十二・10、ヨハネ一九・37）
・金持ちの墓に葬られる（イザヤ五三・9、マタイ二七・57〜60）
・三日目に死人の中からよみがえる（ホセア六・2、ルカ二四・46）

聖書は、イエスの生涯のこれらすべての点で誤りがない

証拠二　イスラエル国家の歴史

ふたつ目の例は、イスラエルという国の歴史だ。たくさんある中から重要なものだけを抜き出

した。これを見るだけでも、過去三五〇〇年のイスラエルの歴史が、正確に予告されていることがわかる。次に挙げた例は、実際に起こるはるか昔にイスラエルについて語られ、聖書に記録されている事柄だ。

・エジプトで奴隷とされる（創世記一五・13）
・多くの財宝をたずさえてエジプトを脱出する（創世記一五・14）
・カナンの土地を所有する（創世記一五・18～20）
・そこで偶像崇拝の罪に陥る（申命記三十二・15～21）
・エルサレムが礼拝の中心となる（申命記十二・5～6、詩篇一三二・13～14）
・アッシリア捕囚（アモス五・27、六・14、七・17）
・バビロン捕囚（エレミヤ一六・11～13、二十一・10）
・第一神殿が破壊される（二歴代誌七・19～22）
・バビロニアから帰還する（イザヤ六・11～13、四八・20）
・第二神殿が破壊される（マタイ二四・33～34、ルカ一九・43～44）
・国外の多くの国々に散らされる（レビ二六・33～34、エゼキエル十二・15）
・迫害され、圧迫される（レビ二六・36～39）

・すべての国から再び集められる（イザヤ十一・11〜12、ゼカリヤ一〇・9〜10）

以下は、イスラエルについての予告で、まだ実現していないものだ。

・すべての国々がエルサレムに戦いをいどむ（ゼカリヤ十二・2〜3、一四・1〜2）
・メシア（救い主）が超自然的に啓示される（ゼカリヤ十二・10〜14）
・メシアが栄光を帯びて来る（ゼカリヤ一四・3〜5）

聖書で予告されたことのほとんどが、すでに正確に成就している。ここから、まだ実現していない予告も必ず実現する、と確信できる。

聖書の預言に心を向けよ

ここまでわかってくると「預言の最終的な目的は何だろう」という疑問にたどりつく。

神はなぜ、将来に起こることを書いた書物を私たちに与えたのか。

聖書の中でまだ実現していないすべての預言には、中心となる目的がある。イエスが再び来ること、それが確かに、しかも間もなく起ることを知らせるためだ。

ペテロの第二の手紙を見てみよう。ここでペテロは、他のふたりの弟子と一緒に変貌の山と呼ばれる場所で、イエスの姿が神の栄光に輝くのを目撃した経験について語っている。そして、その出来事以上に重要なことがあると語っている。

私たちは、さらに確かな預言のみことばを持っています。夜明けとなって、明けの明星があなたがたの心の中に上るまでは、暗い所を照らすともしびとして、それに目を留めているとよいのです。（目を留めていなさい NKJV）（Ⅱペテロ一・19）

実際、ペテロはこう語っている。「変貌の山で私たちが受けた啓示は、ほんとうに素晴らしいものだった。今や、聖書に記録されている。しかし、それよりもさらに確かなことがある。それは聖書に記されている預言の言葉だ」

ここではっきりと、聖書の預言と、それ以外の預言を区別しておく。いわゆる「預言の賜物」というものがあり、私もその存在を信じている。これは、特定の人々によって語られる言葉だ。これらの言葉は必ず聖書と照らし合わせて吟味され、正しいかどうか判断される必要がある。

しかし、ペテロがここで言っている聖書の預言の言葉は、そうではない。吟味され判断される必要はない。これらふたつはまったく違う。神のすべての言葉は純粋で、炉で七回精錬された銀のようだ（詩篇十二・6参照）。聖書に記録された神の言葉は完全で絶対的に信頼できる。この言葉に心を向けよ、とペテロは語っている。聖書の言葉を知るために熱意を注ごう。そうしないと、神がせっかく備えてくださった大切なものを失ってしまう。

自分の心に夜明けが訪れ、明けの明星が昇るまで、預言の言葉に心を向けよう。ペテロは、世界で何が起こるかではなく、私たちの心に起こっていることについて語っている。その人が神を信じる者、つまり、救われて聖霊のバプテスマを受けて、永遠の命をすでに手に入れていた人だったとしても、神が与える光（聖書の預言）を無視するなら、地上では暗闇の中を歩くことになる。死んだ時に天国に入れないという意味ではないが、地上での人生を、つまずいて手探りで進むように生きることになるということだ。将来に何が待っているかを知ることができず、恐れて混乱してしまうからだ。

明けの明星について、今も目に焼き付いている光景がある。第二次世界大戦中、私は英国軍の医療部隊に所属しており、アフリカ北部の砂漠で三年間を過ごした。電気がなかったので、太陽の運行に従って生活していた。日が沈めば眠り、日が昇ると目を覚まして活動を始めた。

砂漠で私は次の光景を何度も目にした。一年のある時期、朝、まさに太陽が昇ろうとするとき、地平線の一部が輝き始める。「ああ、太陽が昇ってくる」と思うが、そうではない。暁の明星だ。

その星が昇ると、間もなく太陽が昇る。ペテロはこの暁の星を私たちの心に昇らせよ、と語っている。この星が昇れば、イエスが戻って来ることがはっきりとわかる。私たちが主イエスの来臨を待ち望み、期待に満ちあふれて生きることを神は望んでいる。神を信じる者はそのように生きるべきだ。

ヘブル人への手紙九章二八節には、「**キリストも…彼を待ち望んでいる人々の救いのために来られるのです。**」と書いてある。私たちはイエスを心から待ち望んでいるだろうか。暁の明星が心に昇ったら、人は大きな期待を持ってイエスを待つようになり、イエスはその人たちの前に再び現われる。

では、終わりの時代に関する神の預言の言葉を見てみよう。暁の明星が輝くのが見え始めた今の時代、神は私たちに多くのことを語っている。

注1　ダニエルは紀元前二世紀頃のイスラエルの預言者。
注2　新バビロニアのネブカデネザル王。BC634～562年

一章　聖書の預言の「背骨」

英国軍に所属していた二〇代のとき、ユダヤ人信徒のマイヤー・パルマン（Myer Pearlman）師から、忘れることのできない大切なことを学んだ。師はアメリカのアッセンブリー・オブ・ゴッド教団の評議会メンバーだった。

「預言を解釈するのは、人間の骨のかけらをつなぎ合わせるようなものだよ。うまくやりたいなら、正しい骨片から始めること。正しい骨片とは背骨だ。最初に背骨を見つけてつなぎ合わせたら、そこにほかの骨をつなぎ合わせていくことができる」

この章から、聖書の預言の背骨に、骨片を一ピースずつつなぎ合わせていこう。パルマン氏によると、預言の背骨とは、イエスがオリーブ山で語った言葉、マタイの福音書の二四章に記録されている言葉だ。

私たちはよく、イエスが預言者だったことを見逃してしまう。イエスの時代の人たちは、イエスを神の子だと認めなくても、預言者としては認めていた。ヘブル人の預言者の中で、イエスが最も偉大な預言者だということは間違いない。その最も重要な預言が、この二四章に記録されている。

同じ場面が、マルコの福音書の十三章、ルカの福音書二十一章にも記録されていて、イエスの話を三人の筆者のそれぞれの視点から見ることができる。これは三台のテレビカメラが違う角度からイエスを映しているようなものだ。全体を正確につかむには三つをひとつにすることが欠かせない。

マタイ二四章。イエスはオリーブ山の西側の丘に座ってエルサレムの神殿のあたりを見下ろした。そして、いちばん近い弟子たちにこの話をした。私もよく同じ場所で時を過ごしたものだ。

ここに至る前に、こんなことがあった。「**イエスが宮**（神殿 NKJV）**を出ていかれるとき、弟子たちが近寄って来て、イエスに宮の建物をさし示した。**」（マタイ二四・1）

ヘロデ王は、このエルサレムの神殿の補修と増築に、実に四六年も費やした。自分の権力を示すためだ。この神殿は、歴史上最も豪華な建築のひとつとされ、当時のユダヤ人の民族的、また宗教的な生活の中心だった。誇りであり喜びだった。だから次の言葉を聞いたとき、弟子たちはみぞおちを殴られたようなショックを受けた。

そこで、イエスは彼らに答えて言われた。「このすべての物に目をみはっているのでしょう。まことに、あなたがたに告げます。ここでは、石がくずされずに、積まれたまま残ることは決してありません。」（マタイ二四・2）

驚いた弟子たちは、イエスに訊くチャンスを待った。イエスが神殿（宮）を離れ、キドロン川を渡り、オリーブ山の丘陵を登って座ったところでこう質問した。

「**お話しください。いつ、そのようなことが起こるのでしょう。あなたの来られる時や世の終わりには、どんな前兆があるのでしょう。**」（マタイ二四・3）

神殿が破壊されるようなことがあれば、それは間違いなく時代の終わりのしるしだと弟子たちは考えた。彼らはひとつの質問をしたつもりだったが、実際はふたつの質問になっている。ひとつ目は「神殿とエルサレムの破壊は、いつ起こるのか」。ふたつ目は「イエスが来られて、時代が終わるときのしるしは何か」。イエスはこのふたつにきちんと答えている。

第一の質問　神殿の崩壊はいつか

最初の質問への答えは、ルカによる福音書二十一章にある。

しかし、エルサレムが軍隊に囲まれるのを見たら、そのときには、その滅亡が近づいたことを悟りなさい。そのとき、ユダヤにいる人々は山へ逃げなさい。都の中にいる人々は、そこから立ちのきなさい。いなかにいる者たちは、都にはいってはいけません。これは、書かれているすべてのことが成就する報復の日だからです。その日、悲惨なのは身重の女と乳飲み子を持つ女です。この（イスラエルの）地に大きな苦難が臨み、この（ユダヤの）民に御怒りが臨むからです。人々は、剣の刃に倒れ、捕虜となってあらゆる国に連れて行かれ、異邦人の時が終わるまでエルサレムは異邦人に踏み荒らされます。（ルカ二十一・20～24 括弧内著者による）

「神殿とエルサレムが破壊されるのはいつか」への答えがこれだ。「エルサレムが敵に包囲されたら、破壊が近づいているしるしだ」というイエスの預言は、正確に紀元七〇年に成就した。

ローマ軍司令官ウェスパシアヌスは、軍を敷いてエルサレムを包囲していたが、次の皇帝に指名され、任命を受けるためにいったん包囲を解いて、しばらくローマに戻った。

そのとき、エルサレムにいたユダヤ人のうち、イエスを神の預言者だと認めていた者たちはイエスの忠告を思い出した。彼らはエルサレムから逃げ、ヨルダン東部のペラにたどり着く。

間もなくウェスパシアヌスの後を引き継いだ息子のティトスは、再びエルサレムを包囲し、容赦なく攻撃した。神殿は完全に破壊され、文字どおりひとつの石も積まれたまま残ることはなかった。この戦いで二百万人のユダヤ人が殺され、百万人が捕らえられ、奴隷としてローマ帝国で売られた。あまりに数が多かったので、値段を下げても買い手がつかなかったという。

イエスの言葉はこのように成就した。イエスの言葉を真剣に受け取った者は命が助かった。

二四節に、「**異邦人の時の終わるまで、エルサレムは異邦人に踏み荒らされます。**」とある。「異邦人の時」とは、神がイスラエルに与えた地を、異邦人が支配する時代を指す。二四節の後半で語られたことは、この出来事から二千年近く続くことになる。

イスラエルの歴史で大切な年号のひとつは、一九六七年、六日戦争の年だ。二千年近い歴史の中で初めて、ユダヤ人たちは、エルサレムの旧市街と呼ばれる重要な地域を奪回した。しかし、預言はまだ完全には成就していない。その地はまだ完全にユダヤ人の支配下に収まっていない。そうしようと思えばすることもできたのだが、しなかった。そのため「神殿の丘」と呼ばれるその場所には、今もイスラム教のモスクが立っている。

ユダヤ人はまだその場所に足を踏み入れていない。エルサレムは未だ異邦人の支配から解放されていない。イエスはこう続けている。

「そして、日と月と星には、前兆が現われ、地上では、諸国の民が（諸国がNKJV）、**海と波が荒れどよめくために不安に陥って悩み、人々は、その住むすべての所を襲おうとしていることを予想して、恐ろしさのあまり気を失います。天の万象が揺り動かされるからです。そのとき、人々は、人の子が力と輝かしい栄光を帯びて雲に乗って来るのを見るのです。」**（ルカ二十一・25〜27）

エルサレムがついに異邦人の支配から解放される時、世界のすべての人のカレンダーやスケジュール帳の次の予定はこれになる。「イエスご自身が再びやって来られる」

第二の質問　時代が終わる時のしるしは何か

弟子たちのふたつ目の質問に進もう。「イエスが来られて時代が終わるときのしるしは何か」。日本語では不明瞭だが、この「しるし」は、英語で「the sign」、原語のギリシャ語でも単数だ。複数のしるしではなく、唯一のしるしということだ。

イエスはこの質問にすぐに答えず、順を追って説明する。まず、警告から始めている。

「人に惑わされないように気をつけなさい。わたしの名を名のる者が大ぜい現われ、『私こそキリスト（メシア NKJV）だ。』と言って、多くの人を惑わすでしょう。」（マタイ二四・4〜5）

偽のメシアが現われて人を惑わす。これが最初の警告だ。この預言で二度繰り返されている。時代の終わりに関して、イエスは弟子たちに三回、惑わされるなと警告する。この嘘いつわりは、クリスチャンにとって迫害や戦争よりもはるかに危険なことだと、私は受け取っている。「自分は絶対に惑わされない」と考えていたら、惑わされる。三年半イエスと共に過ごして直接教えを受け、奇跡を目の当たりにした弟子たちに、イエスが「気をつけろ。惑わされるな」と警告しているのだ。

欺きに対して私たちが持っている唯一の保証は、テサロニケ人への第二の手紙だ。「**滅びる人たちに対するあらゆる悪の欺きが行われます。なぜなら、彼らは救われるために真理への愛を受け入れなかったからです。**」（Ⅱテサロニケ二・10）

惑わされないための、ただひとつの防衛手段は、真理を愛すること。否定的ではなく、肯定的だ。ここで「愛」と訳されているギリシャ語はアガペで、愛の最も強いあり方だ。惑わされないためには、真理に対する熱い愛を持つこと。毎朝、聖書を読んだり、教会の礼拝に参加したり、祈ったりするだけでは不十分だ。神の言葉に対する熱い、情熱的な愛を持つことで、私たちは欺きから守られる。

「多くの人がイエスの名前を語って現われ、自分がキリスト（メシア）だと言って多くの人を惑わす」と語ったイエスの預言は、すでに成就している。ユダヤ人百科事典には、イエスの時代から今まで、約四〇人の偽メシアがユダヤ人の間に現われたことが書いてある。

中には、ユダヤの国全体を惑わした人物もいる。バル・コクバは自分がメシアだと言ってユダヤ人を先導し、ローマに対する最後の反乱に向かわせたが敗北した。紀元一三五年頃のことだ。民族のほとんどは殺されるか、捕囚となった。「クレタ島のモーゼ」は、紀元五世紀、約五千人のユダヤ人を「メシアが来られる」と言って海に導き出したが、全員が溺れ死んだ。

一六六六年には、シャバタイ・ゼビが現われ、自分こそがメシアだと告げ、ユダヤ人をイスラエルの地に帰還させると言った。数千人がそこに集まったが、シャバダイは、自分の命を守るためにイスラム教徒になってしまう。集まったユダヤ人たちの落胆はどれほどだっただろう。

真の預言者だったイエスが語った預言は、ことごとく成就している。神殿が崩壊すること、偽メシアが現われることは、すでに成就した。

これがはっきりしたところで、次の章に進もう。オリーブ山でイエスが語った教え、終わりの時のしるしが、今の時代に成就しつつあるということを受け入れる準備ができたはずだ。

二章　産みの苦しみの始まり

イエスは預言の言葉を続け、終わりの日々に起こる一連の事がらを弟子たちに教えた。

「**民族は民族に、国は国に**（王国は王国に NKJV）**敵対して立ち上がり、方々にききんと地震が起こります。しかし、そのようなことはみな、産みの苦しみの初めなのです。**」

（マタイ二四・7〜8）

産みの苦しみという言葉に注目しよう。八節でイエスは「産みの苦しみが始まる」と語っている。産みの苦しみの後に何が来るか、誰でも知っている。新しい命だ。神の王国（御国）が地上に生まれる時も同じように、その前に産みの苦しみを通らなくてはいけない。

陣痛は出産が近づくほど間隔が短くなり、痛みが強くなる。人間の歴史における産みの苦しみも同じだ、とイエスが教えている。痛みが起こる間隔が短くなり、痛みの強さが増していく。止めることはできない。出産が迫ってきている。

陣痛が始まったとき、痛みを止めるか、赤ちゃんを産むかと悩むだろうか。新しい命の誕生を待ち望むなら、どんな痛みも喜んで受け入れる。

自問してみよう。神の王国（御国）が地上に来ることと、産みの苦しみを経験しないことと、どちらが大切だろう。正しい方を選ぼう。いずれにしても、私たちはこの苦しみを避けて通ることはできない。

終わりの時の産みの苦しみには、次の五つの出来事があるとイエスは教えている。

一．戦争、飢饉、地震、疫病
二．世界中でのクリスチャンの迫害
三．クリスチャンが信仰を捨てる、仲間を裏切る
四．偽預言者とカルトが増える
五．愛が冷える

戦争と自然災害

戦争だけでなく、世界規模の飢饉、疫病、地震という人類の三大危機がやって来ることを、マタイ二四章の七節から八節は描写している。これらの災害は、産みの苦しみの始まりだ。

今日の世界には二種類の戦争がある。政治戦争と民族紛争だ。第一次世界大戦と第二次世界大戦はどちらも政治戦争で、自国の領土を広げようとする国々が争った。

民族と訳されているギリシャ語原語はエスノス（ethnos）で、人種や民族を意味する英語のエスニック（ethnic）はここから生まれている。一九一四年に始まった第一次世界大戦の前、民族紛争があったが、それはほとんど知られていない。トルコ人とアルメニア人の戦いだ。一九一三年に、中東でトルコ人らが約百万人のクリスチャンのアルメニア人を殺戮した。現在（一九九〇年代当時）民族紛争は世界各地で起こっている。今の時代のひとつの特徴ともいえる。一九九三年の一年間だけでも世界で三四の戦争があり、そのほとんどが民族紛争だ。

私は一九一三年に生まれ、二つの世界大戦を知っている。今日世界各地で起こっている飢饉で、一年に百万人以上の命が失われている。飢饉の後にはたいてい疫病が蔓延する。東南アジアやアフリカでの悲惨な状況を私たちは目の当たりにしている。地震が増え、その規模が大きくなっていることも、私たちは痛みを持って経験している。

クリスチャンはますます憎まれるようになる

終わりの日々に起こる事を、イエスは段階的に示している。「それから」というキーワードが繰り返される。この言葉から、ひとつの出来事が起こり、続いて次の事が起こり、その次に、と段階的に起こることがわかる。終わりの日々へのイエスの預言は、このように規則性があることが特徴だ。終わりの日に起こることとは、体系的で徹底的なものだとイエスは言っているのだ。

マタイ二四章九節から、私たちはすでに産みの苦しみの最初の段階に入っていることがわかる。一番目の「それから」だ。「**そのとき**（それからNKJV）、**人々は、あなたがたを苦しいめに会わせ、殺します。また、わたしの名のために、あなたがたはすべての国の人々に憎まれます。**」

ここの「あなたたち」とは誰だろう。イエスを信じるクリスチャン、私たちのことだ。この事実を受け入れられるだろうか。この時が来ると、人々はイエスに従う人たちを苦しめ、殺す。イエスの名のために、クリスチャンはすべての民族から憎まれる、とある。

多くの人たちがリバイバルのために祈っている。私もそのひとりだ。しかし、教会がリバイバルを経験するとき、世がどれほどそのこと（リバイバル）を憎んでいるかを初めて知ることになる。私たちはしっかりと心に刻む必要がある。

では、次の「それから」を見てみよう。

そして互いの間で

「また、そのときは（それからNKJV）**、人々が大ぜいつまずき、互いに裏切り、憎み合います。」**
（マタイ二四・10）

ここでの「多くの人々」はクリスチャンのことだ。聖書で「信仰から離れる」と言っているのは、クリスチャンを指している。

クリスチャンが互いに裏切るのは、自分が生き延びるためだ。これは珍しいことではない。実際、中国や旧ソ連、イスラム教の国々では以前から、そして今も起こっている。今は迫害がない国々でも、間もなく同じようなことが起こると私は考えている。

これが次の段階だ。迫害のプレッシャーの下で、自分の信仰を捨てて仲間を裏切るクリスチャンが出てくる、とイエスが語っている。イエスに忠実であり続ける者たちと、イエスを裏切る者たちとの間に憎しみが生まれる。仲間を裏切るクリスチャンたちは、この世の権力者に仲間を売り渡し、彼らは裁かれる。そして、次の「それから」が登場する。

多くの偽預言者が起こる

「**また**（それからNKJV）、**にせ預言者が多く起こって、多くの人々を惑わします。**」（マタイ二四・11）

すべてのカルトは偽預言者によって産み出される。近年、どれほどのカルトが生まれたか数えるのも難しい。偽預言者は教会の外だけではなく、教会の中にもいる。

預言者エレミヤの生涯を学ぶと、ユダ王国が崩壊する直前、真の預言者はただひとり、エレミヤだけだった。一方で、多くの偽預言者たちがいた。これは、その国が最後の裁きと災いの直前にあることのひとつのしるしだ。偽預言者たちが、心地よい預言を語って平安を約束したので、多くの人はエレミヤの真実の預言を聞かなかった。エレミヤは災害が来ると予告していた。

預言者と呼ばれる人が約束したことが、実際には起こらなかったのを聞いたことがあるだろう。誰かが神の名前で予告したことが起こらなければ、その人は偽預言者だ。モーセの時代、神の教えによれば、語った言葉が成就しなかった預言者は死刑だった。この法が今も適用されれば、預言者を名乗る人ははるかに少なくなるだろう。

真の預言者は、「悔い改めなさい」と強く勧めるはずだと私は信じる。今の世界、今の教会がいちばん必要としていることは、悔い改めではないだろうか。神の働き人が、心地よい預言を語ることもあるかもしれない。しかし、真の預言者が、悔い改めを呼びかけずに甘い約束をするだろうか、と私は疑問に思う。

愛が冷える

信仰がなくなるとどうなるか。イエスははっきり教えている。「**不法がはびこるので、多くの人の愛は冷たくなります。**」（マタイ二四・12）

ここでも「多くの人」はクリスチャンを指す。愛と訳されているギリシャ語の原語のアガペ（agape）は、キリスト教的な愛を表す言葉で、世俗的な愛のことではない。不法の中で、多くのクリスチャンの愛が冷たくなると言っている。格言風に言うと「法が消えると愛が冷える」

現代社会では不法、犯罪が増え続けているが、私たちはあきらめて「時代の流れだからしょうがない。自分だけは気をつけよう」という態度になりがちだ。多くの国、特にアメリカで不法が急速に広がっている。

法がなくなると愛が冷えるということに、注意を払おう。世界は、愛について全く間違った考えを抱いている。「愛は自由で自分の望むことはなんでもしていい」というのは、神が教える愛とはちがう。神の愛は、訓練と自制を求める。真の愛は、自己中心ではない。攻撃的でもない。自分第一でもない。訓練だけがクリスチャンの中に真の愛を作り出す。

不法と神の愛は対極にある。不法がはびこると、神の愛は人々の間から締め出されてしまう。そうならないよう警戒し、神への愛、互いへの愛を保ち続けなくてはいけない。

最後まで耐え忍ぶ

すべての人が恐れや迫害、不法に直面するわけではない。信仰を保ち忠実であり続ける人に対して、イエスは次の約束をしている。

「しかし、最後まで耐え忍ぶ者は救われます。」（マタイ二四・13）

原語のギリシャ語では「最後まで耐え忍び続けた人は救われる」とある感謝すべきことに、私たちは今すでに救われている。しかし、救いに留まり続けたいなら、忍耐を身に着ける方法はただひとつ、忍耐することだ。「ヤコブの手紙」にこう書いてある。

「私の兄弟たち。さまざまな試練に会うときは、それをこの上もない喜びと思いなさい。信仰がためされると忍耐が生じるということを、あなたがたは知っているからです。その忍耐を完全に働かせなさい。そうすれば、あなたがたは、何ひとつ欠けたところのない、成長を遂げた、完全な者となります。」（ヤコブ一・2〜4）

私たちを完全で完璧な者にしてくれるのは、忍耐による訓練だ。これこそが生き残るための鍵だ。

究極のしるし――二番目の質問への答え

ここまで、終わりの時の様々なしるしを見てきたが、イエスは、弟子たちの二番目の質問にまだ答えていない。「この時代の終わりの（確かなひとつの）しるしは何ですか。」

マタイ二四一四節まで来るとこの答えにたどりつく。「**この御国の福音は全世界に宣べ伝えられて、すべての国民にあかしされ、それから、終わりの日が来ます。**」

終わりはいつ来るのだろう。神の王国（御国）の福音がすべての世界に告げられ、すべての国民への証言として伝えられるという、重要な宣言だ。世界の歴史を動かしているのは、政治家でも軍の司令官でも科学者でもなく、教会だ、とこの箇所は言っている。教会だけが時代を終わらせることができる。王国の福音を伝えることによって、それができる。

水で薄めた人間的な福音ではなく、イエス自身と使徒たちが宣べ伝えたのと同じ福音を、国々への証言として全世界に伝えよ、と私たちは命じられている。

ヨハネの黙示録七章は、これらの国々から来る人たちを描いている。イエスの十二弟子のひとりヨハネは、流刑となったパトモス島で幻を見てこう書いている。

その後、私は見た。見よ。あらゆる国民、部族、民族、国語のうちから、だれにも数えきれぬほどの大ぜいの群衆が、白い衣を着、しゅろの枝を手に持って、御座と小羊との前に立っていた。彼らは、大声で叫んで言った。「救いは、御座にある私たちの神にあり、小羊にある。」

（黙示録七・9〜10）

群衆はイエス、神の子羊への信仰によって救いを受けた人たちで、すべての民族、部族、国民、国語からやってきている。言い換えると、この時代が終わる前に、すべての民族、部族、国民、国語を代表する者が、必ずひとりは救われるということだ。イエスは、すべての人のために喜んで苦しみを受けた。父なる神は、イエスに栄光を与えるため、すべての民族、部族、国民、国語から最低ひとりが救われるまでは、この時代を終わらせないと決めている。イエスが神の子羊として、その救いのために捧げられたからだ。

そして、私たちがこの責任を負っている。重大な責任だ。今、この世界で起こっているさまざまな悲劇、苦痛、病気、憎しみ、戦争、貧困。これらは年々ひどくなっているが、私たちが責任を果たすまでは、この時代は終わらない。不必要な苦しみが続き、ますます悲惨になっていく。

私たちの責任を決して忘れてはいけない。このことを私の心の底からの思いとして読者に伝えたい。私を動かしているのは聖書のこの箇所だ。「**この神の王国の福音は全世界に宣べ伝えられて、すべての国民にあかしされ、それから、終わりの日が来ます**」（マタイ九・37〜38）。私はこの責任を重く受け止めて日々を生きている。

「私は何のために生きているのか」と自分に問うてみよう。楽な暮らしをするためか、豊かさを手に入れるためか、もっと良い仕事のためか。高い給料のためか、大きな家のためか、高価な車のためか。それとも、神の王国の福音が全世界で伝えられ、すべての国々の証言となるための働きをするためだろうか。

人がキリストの裁きの座の前に立つ時——私たちは一度死んで、一度裁きを受けると定められている——イエスは一人ひとりにこう尋ねる。「神の王国の福音がすべての国々に伝えられるために、君はどんな働きをしたかい？」あなたはどう答えるだろう。

「イエスさま、すみません。実は聖書のあの箇所は真剣には受け止めてなかったんです。まさか時代が終わるとは思ってなかったので、それで楽しくやってました。自分と家族の面倒はちゃんと見ましたけどね」と答えるだろうか。もう一度考えてほしい。重要な問題だ。私はあなたに、この預言の大切さをはっきりと伝えたい。

誰にでも、何かできることがある。たとえば、この働きのために貢献することができる。マタイ九章三七節でイエスは「**収穫は多いが、働き手が少ない。**」そして、続く三八節で「**収穫の主に…祈りなさい。**」と言っている。誰もが祈ることはできる。そして多くの人は寄付することができる。今日の世界の様子を見ればわかるが、六五億（一九九〇年代当時）の人口のうち、安全な住まいがあって十分な食事ができるのは、限られた人々だけだ。先進国に住む私たちはそのグループに属する。何千万という人が飢えているとき、お金をどう使っているだろう。自分と家族の楽しみのために浪費していないだろうか。その人たちは食べ物だけではなく、霊的なもの、命のパンにも飢えている。

私にとって、マタイ二四章一四節は聖書の中で最も突き刺さる言葉だ。

「この御国の福音は全世界に宣べ伝えられ、すべての国民にあかしされそれから、終わりの日が来ます。」

福音が全世界に伝えられることが、終わりの時のひとつのしるしだとイエスは語った。「宣べ伝えられる」とイエスが語ったら、それは必ず宣べ伝えられる。私たちに問われているのは「あなたは、そのために何をするか」ということだ。

三章　選ばれた者たちが集められる

マタイ二四章の、終わりの時についてのイエスの教えを続けて見ていくと、劇的なターニングポイントにぶつかる。それまで「全世界」と「すべての国々」が強調されていたが、一五節で突然、焦点が地中海の東側にある小さく細長い地域に移される。ここは間違って「パレスチナ」と呼ばれていた。ペリシテ人の地という意味だが[注1]、この名は正確ではない。正しくはイスラエルの地だ。

ここでは、イエスがイスラエルについて提示したことと、イスラエルへの預言的な言葉を見てみたい。イスラエルと終わりの時の出来事については九章で話す。

永遠に続く契約で、神はアブラハムとその子イサク、孫のヤコブ、そしてその子孫にイスラエルを与え、子孫たちがこの地を所有するようにされた。この契約とユダヤ人に対して、私たちがどのような態度をとるか。これは、終わりの時について学ぶとき、無視できない大切なことだ。出エジプト記三章を見てみよう。

神はさらにモーセに仰せられた。「イスラエル人に言え。あなたがたの父祖の神、イサクの神、ヤコブの神、主が、私をあなたがたのところに遣わされた、と言え。これが永遠にわたしの名、これが代々にわたってわたしの呼び名である。」（出エジプト三・15）

全能の神は、自身がこの三つの位格を持った神として永遠に記憶されることを選んだ。この驚くべきことに注意を払おう。聖書の別の箇所で、イエスははっきり言っている。

「**救いはユダヤ人から出る**」（ヨハネ四・22）

あなたがユダヤ人であろうとなかろうと、これまでに受けたすべての霊的な祝福は、ひとつの民族が負っている。ユダヤ人だ。ユダヤ人が存在しなければ、アブラハム、イサク、ヤコブはいなかった。預言者もいなかった、聖書もなかった。救い主も現われなかった。

今こそ、私たちがその恩に報いるときだと感じている。ところが、クリスチャンがユダヤ人にしてきたことは正反対だ。何世紀もの間、差別し、圧迫し、迫害し続けてきた。今日、クリスチャンがユダヤ人にイエスのことを話そうとすると、厚い壁が立ちはだかるのを感じる。歴史を知るユダヤ人にとって、ユダヤ人の第一の敵はキリスト教会だ。ショックかもしれないが事実だ。歴史はそのたくさんの証拠にあふれている。

ユダヤ人に対する神のプログラム

神が、ユダヤ人に対して偉大な計画を持っていることを忘れてはならない。ローマの教会へあてた手紙でパウロが言っていることを見てみよう。「**イスラエルの一部がかたくなになったのは、異邦人の完成のなる時**（数が満ちるまでNKJV）**であり、こうして、イスラエルはみな救われる**」（ローマ十一・25〜26）

神の計画はこうだ。まず異邦人の大収穫が起こり、それが終わってから、イスラエルがみな救われる。

以前よりはるかに多くのユダヤ人が、イエスをメシアとして信じるようになっている。これは私たちが、ひとつの時代から次の時代への移行期にいるしるしだ。異邦人の時から、イスラエルが再び世界を導く国家、地上で国々の間にあって神を表す存在となる時への移行期といえるだろう。

続いて、マタイ二四章一五節でイエスはこう警告する。「**それゆえ、預言者ダニエルによって語られたあの『荒らす憎むべき者』が、聖なる場所に立つのを見たならば、**」（マタイ二四・15）『荒らす憎むべき者』とはなんだろう。数え切れないほどの神学的解釈があるが、私は、反（アンチ）キリストの現われを指すととらえている。二〇年前（一九七〇年代）には、反キリストが現われるのはずっと先のことだと考えていたので、その話題に夢中の人たちに苦笑いしたものだ。しかし、今日、反キリストはすぐそこに来ていると感じている。

「聖なる場所」に疑いの余地はない。エルサレムの神殿があった場所だ。聖書は少なくとも二箇所でこのことに言及している。ひとつ目は、ソロモン王が神殿の建設を終えたときに、神がソロモンに語った場面だ。注2

主は彼に仰せられた。「**あなたがわたしの前で願った祈りと願いをわたしは聞いた。わたしは、あなたがわたしの名をとこしえまでもここに置くために建てたこの宮を聖別した。わたしの目とわたしの心は、いつもそこにある。**」（I列王九・3）

誰がその場所を占領しているかは問題ではない。神は決して約束を取り消しにはしない。次の聖書箇所も神がこの場所を聖別したことを確認させてくれる。

主はシオンを選び、それをご自分の住みかとして望まれた。「これはとこしえに、わたしの安息の場所、ここにわたしは住もう。わたしがそれを望んだから。」（詩篇一三二・13〜14）

その神聖な場所を人が汚しても（現在はイスラム教のモスクが建っている）、神がその場所を選んだので、その地は必ず神の目的のために用いられる。それが聖なる場所だ。

さて、反キリストについて見ていこう。パウロは主が再び来ることに関連づけてこう語っている。

だれにも、どのようにも、だまされないようにしなさい。なぜなら、まず背教が起こり、不法の人（罪の人NKJV）**、すなわち滅びの子が現われなければ、主の日は来ないからです。彼は、すべて神と呼ばれるもの、また礼拝されるものに反抗し、その上に自分を高く上げ、神の宮の中に座を設け、自分こそ神であると宣言します。**（Ⅱテサロニケ二・3〜4）

パウロが書いたこの過程は、マタイ二四章一五節の一部で、目前に迫っていると私は信じる。

すでに一部のユダヤ人グループが、神殿の再建の準備をしているというのは事実だ。憶測で言っているのではない。

かつての神殿の至聖所は、現在、岩のドーム（オマール・モスク）が建てられている場所にではなく、その北側にあったことをユダヤ人考古学者が発見している。ということは、今のモスクを壊すことなく、神殿を建設することが可能というわけだ。つまり、反キリストが大きな政治力を持って登場し、ユダヤ人とアラブ人の間に契約を結ばせる。今のモスクを残したまま、その北側、かつて至聖所があった場所に、ユダヤ人の神殿を建設する許可をとりつける。そう断言するわけではないが、十分可能性がある。

急いで逃げなさい

反キリストがその場所に現われたら「素早く逃げなさい」と、イエスは警告している。

「**そのときは**（それからNKJV）、**ユダヤ**[注3]**にいる人々は山へ逃げなさい。屋上にいる者は家の中の物をも持ち出そうと下に降りてはいけません。畑にいる者は服を取りに戻ってはいけません。**」（マタイ二四・16〜18）

ここ一五節の「それから」に続く言葉は劇的だ。大急ぎで逃げなさい、何も取りに戻ってはいけない、と警告している。この地域の建物は屋根が平らで、その上に出られるようになっており、建物の外に地上から屋上への階段がある。このことが起こったら、屋上にいる者はすぐに階段を駆け下り、家の中に入らずに逃げよ、とイエスは言っている。時間がないから、急いで力の限り逃げなくてはいけない。

畑にいる人にもイエスは忠告する。上着なしで畑仕事をしていたとしても、そのことが起こったら、家に上着を取りに行かずまっすぐ逃げろ、と忠告している。取りに帰ったら逃げ遅れる。妊娠している女性と小さい子のいる女性は悲劇だとあるのは、それほど切迫して逃げなくてはいけないからだ。

ここで、はっきりさせておこう。聖書の預言は、人が祈ることができる範囲をはっきり示している。その範囲を超えて祈っても意味はないし、効果もない。

イエスは、あなたがユダヤに住んでいたら逃げなくてはいけないと予告している。それなのに「逃げなくていいようにして下さい」と祈るのは時間の無駄だ。与えられたガイドラインに沿って「逃げるのが冬にならないように、安息日にならないように」と祈ろう。この安息日についての部分は、ユダヤ人国家が再建されることを示唆している。ユダヤ人の国でなければ、安息日は他の日と何も違わない。イエスのこの言葉には、直接描いてなくても、深い含みがあることがわかる。

大患難が来る

イエスはこう続ける。「**そのときには**（それから NKJV）、**世の初めから、今に至るまで、いまだかってなかったような、またこれからもないような、ひどい苦難があるからです。**」（マタイ二四・21）

ここでもキーワード「それから」が登場している。今日までにどんな残酷で悲惨なことが起こったか見てみよう。ホロコーストで六百万人のユダヤ人が虐殺された。スターリンは旧ソ連での七百万人、毛沢東は六千万人の中国人の殺戮（さつりく）の責任を負っている。

しかし、それよりさらにひどいことが起こる、とイエスは言う。かつて起こったことがなく、この先に二度と起こらないようなことが起こると。科学者によると、各国が持つ核兵器は、地球上の人類を何度も全滅させる破壊力を持っている。核戦争が起こると言っているわけではないが、ここに描写されていることはいつ起こっても不思議ではない。

神がユダヤ人をどのように扱うかを理解すると、私たちは聖書に書いてあることを、ずっとはっきりと見ることができる。神の計画はパウロの次の言葉に表されている。少し長いが見てみよう。

患難と苦悩は、ユダヤ人をはじめギリシヤ人にも、悪を行なうすべての者の上に下り、栄光と誉れと平和は、ユダヤ人をはじめギリシヤ人にも、善を行なうすべての者の上にあります。

（ローマ二・9〜10）

ここに、神が取り扱う順序が書かれている。苦難はまずユダヤ人に、そして異邦人に来るとある。ユダヤ人の上に起こったホロコーストで六百万人が虐殺されたことを思うと、私は恐ろしくなる。ユダヤ人にこれほどの苦難が来るなら、私たち異邦人にはどれほどのものか。ユダヤ人に起こって、そこで終わりということはない。そこが始まりだ。

だからイエスはこう続けている。「**もし、その日数が少なくされなかったら、ひとりとして救われる者はないでしょう。しかし、選ばれた者のために、その日数は少なくされます。**」（マタイ二四・22）

この「選ばれた」は、この段落で三回登場する大切な言葉だ。この事実を受け入れたくない人もいるかもしれないが、ここに、神が特定の人々を選ぶということが書いてある。私も読者のあなたも神によって選ばれた。自分でイエスを選んだから救われたのではなく、イエスが選んでくださったから救われた。イエスは弟子たちにこう言った。「**あなたがたがわたしを選んだのではありません。わたしがあなたがたを選び、あなたがたを任命したのです**」（ヨハネ一五・16）。エペソ一章四節には、神は世界の土台を据える前から、キリストにあって私たちを選んだと書いてある。

私たちは神に選ばれた時、どう応答するかを選ばなくてはいけない。神は自分が選んだ者を一人ひとりよく知っている。あなたは偶然の産物でもなければ、たまたまその場に居合わせたのでもない。選ばれた人々は神の永遠の計画の一部だ。その計画にはまだ神を知らない人たちも含まれている。神は、自分が選んだ人々がひとりも漏れずに救われるまで休まない。だから、私はパウロの次の言葉に強く心を打たれる。「**ですから、私は選ばれた人たちのために、すべてのことを耐え忍びます。それは、彼らもまたキリスト・イエスにある救いと、それとともに、とこしえの栄光を受けるようになるためです。**」（Ⅱテモテ二・10）

どの時代にもどの国にも、神が選んだ人たちがいる。パウロは、選ばれた者たちを集めるためにはどんなことでもする、と言っている。

選ばれた者がすべて集められるまで、この時代は終わらない。つまり、神が大患難の日数を少なくされなければ、人間はひとりも生き残らないということだ。

黙示録七章では、大患難のテーマがさらに詳しく説明されている。本書の二章で、群衆についてこの箇所を参照したとおり、すべての民族、部族、国民、国語から群衆がやって来て、王座の前に集まっている。

長老のひとりが私に話しかけて、「白い衣を着ているこの人たちは、いったいだれですか。どこから来たのですか。」と言った。そこで、私は、「主よ。あなたこそ、ご存じです。」と言った。すると、彼は私にこう言った。「彼らは、大きな患難から抜け出て来た（大患難を抜け出て来ているNKJV）**者たちで、その衣を小羊の血で洗って、白くしたのです。」**（黙示録七・13〜14）

ヨハネはここで、「患難をすでに抜け出た」人たちではなく、「患難を通って、今そこから抜け出している」人たちのことを言っている。英語では、大患難の前に定冠詞のTheが付いていることで、大患難はひとつしかないことを示している。つまり、かつて起こったこともなく、これからも起こらない唯一の患難という意味だ。そして、次の美しいフレーズが続く。

だから彼らは神の御座の前にいて、聖所で昼も夜も、神に仕えているのです。そして、御座に着いておられる方も、彼らの上に幕屋を張られるのです（彼らの間に住まわれるNKJV）。（黙示録七・15）

なんと美しい光景だろう。私たちはこの光景に焦点を当て続けよう。その前にたくさんのところを通ることになる。だからこそゴールに何が待っているかを決して見失ってはいけない。そうでないと、私たちは弱って、聖書が言う「**あなたの心が元気を失う**」（ヘブル十二・3）状態になる。神が時代の終わりに計画していることの光景を、決して見失わないようにしよう。ここに辿(たど)り着けると分かっていれば、途中でどんなことがあっても耐えることができる。

注1　イスラエル民族がヨシュアに率いられてイスラエルの地に入って以降、ペリシテ人は民族の敵だった。
注2　エルサレムの神殿は紀元前一〇世紀に完成したとされる。
注3　ユダヤは、現在はヨルダン川西岸地区、英語でWest Bankと呼ばれるが、聖書で神はユダヤと呼んでいる。

四章　天のしるしを見上げる

マタイ二四章の二十三節から、イエスは鍵となる複数のしるしを教えている。どれも天に関係している。それから弟子たちに、自分は雲に乗って戻ってきて、信徒たちに空中で会うと語る。これらのしるしと約束を聞いて、私たちの目は天を見上げる。

ひとりの偽預言者

空に現われるひとつの劇的なしるしは、偽預言者が起こす。この偽預言者は反キリストにつく者だ。この人物は強い能力を持っていて、人々を信仰から引き離す。次の「それから」以降に描写されている。

「そのとき（それからNKJV）、『そら、キリストがここにいる。』とか、『そこにいる。』とか言う者があっても、信じてはいけません。にせキリスト、にせ預言者たちが現われて、できれば選民をも惑わそうとして、大きなしるしや不思議なことをして見せます。」（マタイ二四・23～24）

この偽預言者が何をするか、黙示録十三章に書かれている。

人々の前で、火を天から地に降らせるような大きな（いくつものNKJV）しるしを行なった。また、あの獣の前で行なうことを許されたしるしをもって地上に住む人々を惑わし、剣の傷を受けながらもなお生き返ったあの獣の像を造るように、地上に住む人々に命じた。

（黙示録十三・13～14）

この男は天から火を降らせることができる。私が知る限りそんなことができる人間はまだ登場していない。男はサタンに仕える者で、超自然的なしるしを使って人々を惑わす。

サタンは劇的なしるしや奇跡を起こすことができる。多くのクリスチャンが「超自然的なことが起こったら、それは神からに違いない」と信じる傾向にあるが、これは危険だ。私たちは、サタンも同様のことをする、と心に留めておく必要がある。

使徒の働き一六章には、女奴隷の占い師が登場する。彼女はパウロとシラスの後を追い回してこう言う。「**この人たちは、いと高き神のしもべたちで、救いの道をあなたがたに宣べ伝えている人たちです。**」(使徒一六・17)ピリピ人への手紙で、最初に、パウロとシラスがどんな人物かを正確に言い当てた。しかし、彼女はサタンによる知識の言葉でそれをしたのだ。これを見たパウロは、彼女をピリピの教会のメンバーに迎えただろうか。いや、占いの悪霊を彼女から追い出した。

サタンの超自然的な力に、多くのクリスチャンがだまされそうになっている。未来を知りたいという強い思いから、偽のしるしや奇跡を信じてしまう。しかし、真理はしるしによって証明されるのではなく、神の言葉によって明らかにされる。イエスは言った。「**あなたのみことばは真理です。**」(ヨハネ一七・17)私たちが知るべきは、神の言葉だ。神の言葉に反することは、神から来るものではなく、すべて真理ではない。

イエスはこう続けている。「**さあ、わたしは、あなたがたに前もって話しました。**」(マタイ二四・25)これは「そんなこと聞いてなかった、という言い訳は通用しないよ」という意味だ。この本を読んだあなたも「そんな忠告は聞いてなかった」という申し開きはもうできない。

いくつもの星が落ちる

イエスが間もなく来ることを知らせる天のしるしはもっとある。「**これらの日の苦難に続いてすぐに、太陽は暗くなり、月は光を放たず、**（いくつもの NKJV）**星は天から落ち、天の万象**（天の力 NKJV）**は揺り動かされます。**」（マタイ二四・29）

「星が天から落ちる」にはいろいろな解釈があるが、現実の夜空に輝く星を指しているとは思わない。天の領域にいるサタンの使いたちが、失墜して追い出されるのだと受け取っている。黙示録からそれを示す箇所をふたつ見てみよう。

第三の御使いがラッパを吹き鳴らした。すると、たいまつのように燃えている大きな星が天から落ちて来て、川々の三分の一とその水源に落ちた。この星の名は苦よもぎと呼ばれ、川の水の三分の一は苦よもぎのようになった。水が苦くなったので、その水のために多くの人が死んだ。（黙示録八・10〜11）

サタン（である天使長）が天から追い出される場面だ。続いて九章。「**第五の御使いがラッパを**

吹き鳴らした。すると、私は一つの星が天から地上に落ちるのを見た。その星には底知れぬ穴を開くかぎが与えられた。」（黙示録九・1～2）

サタンの使いたちが天の星として描かれている。私は、天体の星全体が落ちることではなく、天の力、つまり天の領域にあるサタンの王座と王国が破壊され、サタンの使いたちがその場所から落とされるのだと考えている。

キリストが雲に乗ってやって来る

やがて教会が政治的に強い力を持ち、世界の支配権を握ってすばらしい秩序を作り出す。そして回復した世界を、地上に戻ってくるイエスに捧げる、と考えている人たちがいる。だが、その説は聖書の記載と調和しない。イエスが地上に来るとき、世界が良い状態になっていることを示す箇所はひとつもない。逆に、最悪の状態になっていると書いてある。それを正しい状態に戻すのは、教会ではなく、イエスだ。

「そのとき（それから NKJV）、**人の子のしるしが天に現われます。すると**（それから NKJV）、**地上のあらゆる種族は、悲しみながら、人の子が大能と輝かしい栄光を帯びて天の雲に乗って来**

るのを見るのです。」（マタイ二四・30）

それから、が二回使われていることに気をつけてほしい。

メシアが来るのを見て、イスラエルのすべての種族が、自分たちが十字架につけた方がメシアだったと分かり嘆き悲しむ、とゼカリヤ[注1]は預言している（ゼカリヤ十二・10〜14参照）。イエスが栄光を帯びて来るとき、嘆きはイスラエル内だけでなく世界のすべての民に広がっていく。

偽メシアに人がだまされる理由のひとつは、イエスが（オリーブ山以外の）一か所に限定した場所に来臨するという思い込みだ。イエスは全く違うことを言っている。

「だから、たとい、『そら、荒野にいらっしゃる。』と言っても、飛び出して行ってはいけません。『そら、へやにいらっしゃる。』と聞いても、信じてはいけません。人の子の来るのは、いなずまが東から出て、西にひらめくように、ちょうどそのように来るのです。」（マタイ二四・26〜27）

人の子が天の雲に囲まれ、力と栄光を帯びている様子を思い浮かべると、幸福な気持ちになる。その方が来る時、イエスの栄光、父の栄光、御使いたちの栄光と、栄光が三重に輝くとある。

「もしだれでも、わたしとわたしのことばとを恥と思うなら、人の子も、自分と父と聖なる御使いとの栄光を帯びて来るときには、そのような人のことを恥とします。」（ルカ九・26）

イザヤ書二四章二十三節は、その栄光があまりにも輝かしくて、太陽と月が恥じ入ると言っている。それほどの輝きなのに、その光は人の目を痛めないのだから素晴らしい。その日が待ち遠しくてならない。私たちが忍耐して待ち望むのは、この日を迎えるためだ。状況が悪くなる一方の日々でこの光景を見失ってしまったら、誰でも落胆してしまう。産みの苦しみは弱まることはなく、どんどん強くなっていく。

携挙された人々がイエスに出会う

主が天から戻って来られる時は、世界中がその姿を見ることができる。そして、神の民は引き上げられて空中で主に出会う。この出来事は「携挙（けいきょ）」と呼ばれる。「秘密の携挙[注2]」という言葉を聞いたことがあるが、この箇所からわかるとおり、携挙は秘密とは正反対だ。

人類の歴史で、すべての人の目の前で、これほどはっきりと起こるイベントはない。イエスはこう言っている。**「人の子は大きなラッパの響きとともに、御使いたちを遣わします。すると御**

使いたちは、天の果てから果てまで、四方からその選びの民を集めます。」（マタイ二四・31）

とても秘密とは呼べない。ここで注意したいのは「教会が引き上げられる」とは言っていないことだ。神に選ばれた人のうち地上に残っている人々を指している。第一テサロニケ四章には、この時どんなことが起きるか、詳しく書いてある。

眠った人々のことについては、兄弟たち、あなたがたに知らないでいてもらいたくありません。あなたがたが他の望みのない人々のように悲しみに沈むことのないためです。私たちはイエスが死んで復活されたことを信じています。それならば、神はまたそのように、イエスにあって眠った人々をイエスといっしょに連れて来られるはずです。私たちは主のみことばのとおりに言いますが、主が再び来られるときまで生き残っている私たちが、死んでいる人々に優先するようなことは決してありません。主は、号令と、御使いのかしらの声と、神のラッパの響きのうちに、ご自身天から下って来られます。それからキリストにある死者が、まず初めによみがえり、次に、生き残っている私たちが、たちまち彼らといっしょに雲の中に一挙に引き上げられ、空中で主と会うのです。（Iテサロニケ四・13〜17）

英語の air にあたるギリシャ語はふたつ。ひとつは「aither（アイテール）」で、これから「ether

（天空）」という英単語が生まれた。もうひとつは「aer（アエロ）」で、これから英単語の「air（空）」が生まれた。aerは、地上の空気層の比較的低い所、地表に近い所を指す言葉だ。一七節の「空中で」に使われているのは、aerなので、私たちがイエスに会うのは、地上からそう高くない空中だとわかる。

主が号令をかけ、天使長が声を上げている。神のトランペットが鳴り響いている。気づかないでいられるだろうか。

携挙という言葉は新約聖書に登場しないじゃないかと言う人もいる。そうも言えるが、実は翻訳に左右される。新約聖書は、もとはギリシャ語で書かれている。第一テサロニケ四章一七節は、「**私たちが…引き上げられ、空中で主と会う**」とも訳せるが、原語に忠実に訳せば、「私たちは携挙されて、空中で主と会う」となる。

携挙／raptureという言葉はどういう意味だろう。心に迫る言葉だ。ギリシャ語ではharpa-zo、新約聖書でこの言葉は何回も登場するので、そこを見れば意味がはっきりする。まず、ヨハネの福音書一〇章に三回登場する箇所を見てみよう。狼が群れから羊を一匹さらっていく場面。力づくで突然起こる（ヨハネ一〇・12、28～29参照）。マタイ一三章の四と節一九節は、鳥が空から舞い降りてきて、地上の種をくわえて運び去る場面だ。

harpazoはまた、新約聖書で、人々が地上から取り去られる場面を何度も描写している。使徒の働き八章三九節では、ピリポが宦官にバプテスマを授けた後、携挙された。パウロは第二コリント十二章二節と四節で、自分の友人が第三の天へ携挙されたことについて二回言及している。そして黙示録十二章五節には「**その子は神のみもと、その御座に引き上げられた。**」という描写がある。「引き上げられた」が、harpazoだ。第一テサロニケ四章一七節も同様だ。

他にも、四箇所で同じ言葉が使われている。いずれも、誰かがある集団やある状況の中から、力づくで取り去られる様子を表わしている。（マタイ十一・12、Ｉヨハネ六・15、使徒二十三・10、ユダ二十三参照）

このように、携挙には次のような意味が含まれる。

- 予告なしに起こる。
- 突然、力づくで起こる。
- 準備する間はない。準備していたら間に合わない。

マタイ二四章のもうひとつの「それから」は、携挙がどれほど急に起こるかを示している。「**そのとき**（それからNKJV）、**畑にふたりいると、ひとりは取られ、ひとりは残されます。ふたりの女が臼をひいていると、ひとりは取られ、ひとりは残されます。**」（マタイ二四・40〜41）

ルカの福音書には、ひとつのベッドにふたりがいると、ひとりが取り去られ、ひとりが残されるとある（ルカ一七・34参照）。このように突然、劇的に、近しい人たちに永遠の別れが訪れる。一緒に臼をひいていたふたりの女性、畑で一緒に仕事をしていたふたりの男性、ひとつのベッドに寝ていたふたりにも、これが起こる。携挙が来ると、ひとりは連れ去られ、片方は残される。連れて行かれる方、残される方のどちらになるか。それは、あなたの決心にかかっている。

「だから、目をさましていなさい（見張っていなさいNKJV）。**あなたがたは、自分の主がいつ来られるか、知らないからです。しかし、このことは知っておきなさい。家の主人は、どろぼうが夜の何時に来ると知っていたら、目を見張っていたでしょうし、また、おめおめと自分の家に押し入られはしなかったでしょう。だから、あなたがたも用心して**（備えてNKJV）**いなさい。なぜなら、人の子は、思いがけない時に来るのですから。」**（マタイ二四・42〜44）

何が起こるかを主人が知っていたら、起きていて見張っていたはずだ。だからイエスは「準備しておきなさい」と言っている。もしあなたが、その時がいつなのかわかっているつもりなら、全くわかっていないということだ。主が特定の時に来られる、と考えていたら、その時には来られない。これを強調したいのは、これまで何百万人というクリスチャンが「イエスはこの日のこの時刻に来られる」という啓示を信じて欺かれてしまったからだ。これはイエスの教えに全く反している。もう一度確認しよう。

「だから、目をさましていなさい（見張っていなさい NKJV）。**家の主人がいつ帰って来るか、夕方か、夜中か、鶏の鳴くころか、明け方か、わからないからです。主人が不意に帰って来たとき眠っているのを見られないようにしなさい。わたしがあなたがたに話していることは、すべての人に言っているのです。目をさましていなさい**（見張りなさい NKJV）。」（マルコ十三・35〜37）

見張っていなくてはいけない。ずっと眠らずに起きているという意味ではない。いつも聖霊からの語りかけに敏感であるように、朝でも夜でも、聖霊からの警告をすぐ受け取れるように、自分を整えておくということだ。

いちじくの木が葉をつける

天を見上げることに関連して、イエスが弟子たちに伝えた最後のしるしは、いちじくの木のたとえだ。

「いちじくの木から、たとえを学びなさい。枝が柔らかになって、葉が出て来ると、夏の近いことがわかります。そのように、これらのことのすべてを見たら、あなたがたは、人の子が戸口まで近づいていると知りなさい。まことに、あなたがたに告げます。これらのことが全部起こってしまうまでは、この時代は過ぎ去りません。」（マタイ二四・32〜34）

読者のほとんどは四季、春、夏、秋、冬を知っているだろう。しかし、知らない人たちもいる。私が東アフリカの学校で教えていたとき、学生たちに「世界のある場所には四季というものがあってね」と説明しなければならなかった。「秋になると木が葉を落とす。葉を落とした木々を下から見上げると枝ばかりだ。ところが、しばらくすると変化が起こる。枝に芽が吹き出して、木全体が緑がかってくる。そして間もなく夏だということがわかるんだ」

ルカはイエスが、**「いちじくの木や、すべての木を見なさい。」**（ルカ二十一・29）と語ったと記録している。まずいちじくの木に、続いてすべての木に変化が起こるということだ。

これが今、国々に起こっている。長い間、それらは裸の木だったが、いま世界の多くの国が葉をつけ始めている。一九四八年五月、いちじくの木であるイスラエルがまず葉をつけた。まさにそのとき、私はそこにいた。イスラエルは、他の国々がしたようにイギリス人を追い出して、こう言った。「私たちは固有の民族だ。自分たちの歴史がある。独自の文化と独自の言葉を持っている。だから自国を自分たちで治めるんだ」

この後、他の木々がいっせいに葉をつけ始めた。アフリカ大陸だけで少なくとも五〇の国々が生まれた。何が彼らを立ち上がらせたのだろう。私はアフリカのある国が独立する前の数年間、現地に住んでいて、起こった一部始終を見ていた。「私たちは固有の民族だ。自分たちの言葉がある。英語も話すが自分たちの言葉じゃない。自分たちの文化がある。民族衣装もある。独立したいんだ」と彼らは言っていた。ナショナリズム、民族主義の台頭だ。いま世界中でこれが起こっている。木々が自分たちの葉をつけ始めている。

「植民地主義」という、ひとつの権力がそこに属する人々を治める形態は、今では汚い言葉になってしまったが、以前はそうではなかった。今はナショナリズム、民族主義が時代の流れになっている。これが、木々が自分の葉をつけ始めたということだ。イエスは具体的に語っている。木々が自分の葉をつけ始めたら次に何が起こるかは、図書館で調べなくてもわかる。夏が近いということだ。これが世界中で起こっている。変化を自分の目で見ることができる。

ナショナリズムの台頭、これが時代の終わりの大きなしるしのひとつだ。世界的規模で起こっているが、まだその終わりは見えていない。私たちは木々を見上げ、ナショナリズム、民族主義の台頭を見て、夏が、時代の終わりが近づいていることを知ることができる。

私たちは、目を覚ましていなくてはいけない。うとうと居眠りしている場合ではない。終わりの日々が近づくにつれ、天でたくさんのしるしが起こり、私たちは息を飲むだろう。そして、これらのしるしによって、イエスが来る日が近いことを確認する。

注1　ゼカリヤは紀元前6世紀後半のユダヤの預言者

注2　「秘密の携挙」は、一九八八年にイギリスで上映された演劇。一九九三年に映画化された。

五章　現代の社会はノアとロトの時代に似ている

この時代が終わりに近づくと世界の様子がどうなるか、という預言が、聖書にはいくつも書かれている。たくさんの出来事、変化、流れがあり、互いに影響し合う。この時代の終わりにはどんな特徴があり、他の時代とどう違うかを教えてくれる。

次のふたつの預言は、歴史のふたつの時点の社会に注意を払いなさい、とイエスが語っている。自分が世界に戻ってくる日は、ノアの時代、ロトの時代に「そっくりだ」と言っている。ふたつの社会にはどのような特徴があって、今の私たちの社会とどう似ているのだろう。

ノアの時代

「人の子が来るのは、ちょうど、ノアの日のようだからです。洪水前の日々は、ノアが箱舟には

いるその日まで、人々は、飲んだり、食べたり、めとったり、とついだりしていました。そして、洪水が来てすべての物をさらってしまうまで、彼らはわからなかったのです。人の子が来るのも、そのとおりです。」（マタイ二四・37～39）

同じテーマが、ルカ一七章でこう記されている。「人の子の日に起こることは、ちょうど、ノアの日に起こったことと同様です。」（ルカ一七・26）

つまり、イエスが来る前の日々を理解するためには、ノアの時代がどうだったかを見ればいいということだ。創世記から見ていこう。

神の子らは、人の娘たちがいかにも美しいのを見て、その中から好きな者を選んで、自分たちの妻とした。そこで、主は、「わたしの霊は、永久には人のうちにとどまらないであろう（るべきではない）。それは人が肉にすぎないからだ。それで人の齢は、百二十年にしよう。」と仰せられた。神の子らが、人の娘たちのところにはいり、彼らに子どもができたころ、またその後にも、ネフィリムが地上にいた。これらは、昔の勇士であり、名のある者たちであった。（創世記六・2～4　括弧内著者による）

ここで使われている「神の子ら」は、ほかの箇所にも登場するが、天使（御使い）を表すと私は解釈している。つまり、天使のような存在が超自然の天の領域から地上に降りてきて、人間の女性たちと性の関係を結んだ。これが起こり始めた時、この不自然な関係が永遠に続かないよう、神がその期間を一二〇年に制限したと見ることができる。

ヘブライ語「ネフィリム」は、ヘブライ語の動詞「落ちる」という意味の「ナファル」と関連している。つまり、ネフィリムとは「落ちたもの」という意味で、落とされた天使を指すと解釈できる。

天から落ちた天使たちと人間の女たちが不自然な関係を結ぶなど、信じられない人も多いだろう。しかし、昔のイギリスで教育を受け、当時の必須科目としてラテン語とギリシャ語を学んだ私には信じられる。ローマとギリシャの歴史と神話は、神々（あるいは落ちた天使たち）が人間の女性と性的な関係を結ぶ話に満ちている。

これがノアの時代の初めの頃に起こったことだ。こうまとめられるだろう。ノアの時代は、見えない霊の領域、オカルトから、人類への強い圧迫と侵略があった。

続く節は、ノアの日の社会をよく描写している。

主は、地上に人の悪が増大し、その心に計ることがみな、いつも悪いことだけに傾くのをご覧になった。（創世記六・5）

人の内面が強調されている。人が心に計ること――考えと思い――がすべて悪だったとある。「普遍的思想の腐敗」と呼べるだろう。すべてが汚染されている。見るもの、聞くもの、考えることのすべてが、不純で不潔なものに満ちている状況だ。

続いて「**暴虐で満ちていた**」（創世記六・11）とある。暴力的な犯罪が急増していた。人は乱暴になり、暴力が各地で当たり前に起こり、社会とはこんなものだと容認されていた。

このノアの時代の特徴とされる「暴力」が、今の社会でははっきりと見られる。読者が生まれる前のはるか昔、アメリカでもイギリスでも、女性がひとりで安全に通りを歩くことができる時代があったのを、私は覚えている。夜でも女性がひとりで歩けた。今、アメリカの大都市では、昼間でも女性のひとり歩きは危険だ。人は、もうこの状況に慣れて受け入れてしまっているが、社会がこのように変化したのは、最近のことだ。今、社会は暴力で満ちている。

次に続くのは、ノアの時代のもうひとつの特徴だ。

「**神が地をご覧になると、実に、それは、堕落**（腐敗NKJV）**していた。すべての肉なるものが、地上でその道を乱して**（腐敗させてNKJV）**いたからである。**」（創世記六・12）

この「腐敗」という一語が、当時の状況を最もよく表している。肉体の関係が完全に腐敗し、不自然になり、倒錯と堕落に陥っていた。

今日はどうだろう。三十年ほど前（一九六〇年代）、私は教会出席者の間で性の倒錯が起こっていることに気がついた。特に少年や少女に対する性的虐待だ。当時、それは公に話されず、知った時はひどいショックを受けた。今日、それが起こっていることは誰でも知っている。性の倒錯はファッションにさえなっていて、神を信じない人たちの中には自慢気に話す人さえいる。テレビでは興味本位の暴露番組が放送されている。

ここまでの聖書の箇所を合わせると、ノアの時代の特徴を次のようにまとめることができる。今日の社会の様子とどれほど似通っているか見てみよう。

一．文化がオカルトの領域からの強い圧迫と侵略を受けていた。天にいる存在と地上の人間との間に、不自然な関係が見られた。

二．社会全体の思想が腐敗していた。

三．暴力がはびこり、犯罪が急増していた。

四．性の腐敗と倒錯が蔓延していた。

現代社会とどれほど似ているだろう。普通の人たちが、オカルトからさまざまな影響を受けていないだろうか。人の考えが腐敗し、言葉が退廃的になり、不純で不潔なものに満ちあふれていないだろうか。暴力が蔓延していないだろうか。性的堕落や倒錯が、かつてないほど増えていないだろうか。すべての答えは、「まさにそのとおり」だ。

ロトの時代

イエスはまた、終わりの時をロトの時代にもたとえている。

「人の子の日に起こることは、ちょうど、ノアの日に起こったことと同様です。…また、ロトの時代にあったことと同様です。人々は食べたり、飲んだり、売ったり、買ったり、植えたり、建てたりしていたが、ロトがソドムから出て行くと、その日に、火と硫黄が天から降って、すべての人を滅ぼしてしまいました。人の子の現れる日にも、全くそのとおりです。」

(ルカ一七・26、28〜30)

イエスが何を示しているのかを知るために、創世記一九章を見てみよう。

そのふたりの御使いは夕暮れにソドム(ロトが住んでいた町)**に着いた。ロトはソドムの門**

のところにすわっていた。ロトは彼らを見るなり、立ち上がって彼らを迎え、顔を地につけて伏し拝んだ。そして言った。「さあ、ご主人。どうか、あなたがたのしもべの家に立ち寄り、足を洗って、お泊まりください。そして、朝早く旅を続けてください。」すると彼らは言った。「いや、わたしたちは広場に泊まろう。」

しかし、彼がしきりに勧めたので、彼らは彼のところに向かい、彼の家の中に入った。ロトは彼らのためにごちそうを作り、パン種を入れないパンを焼いた。こうして彼らは食事をした。彼らが床につかないうちに、町の者たち、ソドムの人々が、若い者から年寄りまで、すべての人(男たち)が、町の隅々から来て、その家を取り囲んだ。そしてロトに向かって叫んで言った。「今夜おまえのところにやって来た男たちはどこにいるのか。ここに連れ出せ。彼らをよく知りたいのだ。」

ロトは戸口にいる彼らのところに出て、うしろの戸をしめた。そして言った。「兄弟たちよ。どうか悪いことはしないでください、お願いですから。私にはまだ男を知らないふたりの娘があります。娘たちをみなの前に連れて来ますから、あなたがたの好きなようにしてください。ただ、あの人たちには何もしないでください。あの人たちは私の屋根の下に身を寄せたのですから。」

しかし彼らは言った。「引っ込んでいろ。」そしてまた言った。

「こいつはよそ者として来たくせに、さばきつかさのようにふるまっている。さあ、おまえを、あいつらよりもひどいめに会わせてやろう。」彼らはロトのからだを激しく押しつけ、戸を破ろうと近づいて来た。

すると、あの人たちが手を差し伸べて、ロトを自分たちのいる家の中に連れ込んで、戸をしめた。家の戸口にいた者たちは、小さい者も大きい者もみな、目つぶしをくらったので、彼らは戸口を見つけるのに疲れ果てた。

ふたりはロトに言った。「ほかにあなたの身内の者がここにいますか。あなたの婿やあなたの息子、娘、あるいはこの町にいるあなたの身内の者をみな、この場所から連れ出しなさい。わたしたちはこの場所を滅ぼそうとしているからです。彼らに対する叫びが主の前で大きくなったので、主はこの町を滅ぼすために、わたしたちを遣わされたのです。」（創世記一九・1～13）

町の名前はソドムだ。性の倒錯を以前は英語で「ソドミー」と呼んでいたが、今は「ゲイ」と呼ぶことが多い。正確には「ホモセクシュアリティ（同性愛）」だろう。いくつもの点でロトの時代はノアの時代に似ていたが、特に強調されているのは、性の倒錯、同性愛行為だ。男がほかの男性との性関係を望んでいる。

ここで描かれている同性愛行為は、非常に強引でオープンだ。隠れて行なわれていない。受け身ではなく攻撃的だ。男たちは犠牲者を探しており、獲物を手に入れるためには暴力も使う。それだけではない。若者も年長者も関わっている。ソドムの町の若い者から年寄りまで、すべての男たちが、強引で、攻撃的で、暴力的な同性愛行為を求めていた。そして、人としての行動規範を超えてしまった。ロトに「お前の客人たちを外に出し、欲望の行為の犠牲に差し出せ」というのは、当時でも最悪の要求だ。

ここでも当時の社会の特徴を挙げてみよう。

一．男同士のセックスという不自然な性関係に、町も住民も侵されていた。（女性についての記述はない）

二．その性の倒錯は、強引で攻撃的で暴力的だった。

三．若い男と年長の男との両方が関わっていた。

四．人の行動規範を無視していた。

今日、アメリカや西洋諸国で起こっていることを見てみよう。私の目から見ると、過去数十年、同性愛行為の傾向は信じられない速さで広がっている。

神はときに、いわゆる「戒め」「見せしめ」のため、人々へ教えるための見本として裁きを行なうが、ロトの町のソドムとゴモラの裁きもそのひとつだ。ソドムとゴモラは滅ぼされたが、神は同じ罪の行ないをしているすべての人を、同じように裁くわけではない。神は人々に教えるために、すべての人のためにこの裁きをした。このような行ないを神がどう考えているかを示すためだ。

同じような裁きの例を、アナニヤとサッピラに見ることができる。この夫婦は偽善者で、神の働きのために捧げる分のお金をごまかした。そのためふたりは死んでしまう（使徒五・1〜11参照）。もし神への捧げ物をごまかしている人たち全員を、神が同じように裁いたら、きっと教会のメンバーはかなり少なくなってしまうだろう。だが、神はそうはなさらない。神は、すべての人のためにひとつの例を与えた。それを通して、偽善について、またソドムとゴモラの住民がしていたことについて、神自身がどう考えているかをはっきりと示された。

ソドムの真の罪は、安逸（あんいつ）をむさぼったこと

ここで、もうひとつ大切なことを話しておきたい。ソドムに対して神は、同性愛以外の罪を指摘している。エゼキエル書一六章を読んで初めてそれに気づいた時、私は驚いた。それはエルサレムに語りかける場面で、神はエルサレムをソドムと比較し、ソドムについてこう言っている。

「だが、あなたの妹ソドムの不義はこうだった。彼女とその娘たち（周りの町々）**は高慢で、食物に飽き、安逸をむさぼり、乏しい者や、貧しい者の世話をしなかった。」**

（エゼキエル一六・49　括弧内著者）

ここでは、同性愛行為については全く触れていない。神がそのことを軽く考えているというわけではなく。むしろその逆だ。しかし、ここでは、ソドムは高慢で、食物に飽き、安逸をむさぼり、乏しい者や、貧しい者の世話をしなかった、とある。罪の根は、自己中心、肉欲主義、自己満足の追求、自分の利益だけを求めることだった。私の個人的な考えだが、いつの時代もソドムのような文化が、同性愛行為を産み出すのではないだろうか。だから、今日の世界に多くの同性愛者がいるのかもしれない。私たちの時代の罪は、まさにソドムの罪に似通っている。

最後の特徴は物質主義

イエスが指摘した終わりの日々についての最後の状況はこれだ。ノアとロトの両方の社会に見られた。イエスはこう言っている。

「人々は、食べたり、飲んだり、めとったり、とついだりしていた… また、ロトの時代にあったことと同様です。人々は食べたり、飲んだり、売ったり、買ったり、植えたり、建てたりしていたが…」（ルカ一七・27〜28）

イエスは八つの行為を上げている。食べる、飲む、めとる（妻を迎える）、とつぐ（嫁に行く）、買う、売る、植える、建てる。この中に、罪深い行為はひとつもない。では、何が問題なのだろう。問題は、人々がこれらのことに夢中になって、自分たちがどんな時代に生きているかということに、気づかなかったことだ。物質的なことに夢中になり、霊的なこと、永遠に続くことに注意を向けることをしなかった。

つまり、ノアとロトの時代の最後の特徴は、物質主義だった。今日の世界はどうだろう。現代社会は、物質主義に深く浸されていると言わざるをえない。教会も例外ではない。自称クリスチャンの中には、未信者となんら変わらず、物質主義的な心を持つ人たちが大勢いる。表には出さず、ライフスタイルにはっきり現われないかもしれないが、物質主義に浸かってしまっている。

人が物質主義の穴に落ち込んだら「私が戻って来る時に備えることはできない」と、イエスは警告している。まさに私たちは、ノアとロトの時代の人々と同じになってしまう。

肯定的な側面　**生き残るためのアドバイス**

このように、ノアとロトの両方の時代は、いろいろな種類の悪がはびこっていた。だが、ここで良い面も見てみよう。

ノアの時代には良い面もある。創世記六章九節には「**ノアは神とともに歩んだ**」と書かれている。すべての人々の中でただひとり、ノアは神と親密で個人的な関係を持っていた。神は彼に語って、自分がどのように状況を見ているか、どのような裁きを下すかを伝えた。私たち信徒にとって、ノアは見習うべき手本だ。ノアとその家族だけが生き残った。今日もノアとその家族のように生きる者だけが残るだろう。ヘブル人への手紙十一章がノアについて言及している。

信仰によって、ノアは、まだ見ていない事がらについて神から警告を受けたとき、恐れかしこんで、その家族の救いのために箱舟を造り、その箱舟によって、世の罪を定め、信仰による義を相続する者となりました。（ヘブル十一・7）

次のことをはっきりさせておこう。ノアは、何が起こるかを知らされなかったのではない。ノアは神の忠実なしもべだったので、超自然的な啓示を神から直接受け取った。地上に何が起こるか、それに対して自分と家族がどう準備すれば生き残ることができるか、教えられていた。どうすればいいか、あらかじめ神はノアに警告していた。

この肯定的な要素も、今に当てはめることができる。恐るべき危険が私たちにやってくる。どんな惨事なのか裁きなのかは想像することもできない。しかし、そのただ中にあって、神はご自分の忠実なしもべたちに生き残る方法を教えてくれる。私はそう信じている。

イエスは弟子たちに、聖霊なる方のことをこう約束した。

「しかし、その方、すなわち真理の御霊が来ると、あなたがたをすべての真理に導き入れます。御霊は自分から語るのではなく、聞くままを話し、また、やがて起ころうとしていることをあなたがたに示すからです。」（ヨハネ一六・13）

神を信じる人々への聖霊の働きに注目しよう。聖霊はこれから起こる事、やがて起ころうとしていることを――起こるすべての事ではないが、私たちが生き残るため、神の目的を果たすために知っておくべきこと――を示し教えてくれる。聖霊はノアを導いたのと同じように、超自然的に私たちに啓示してくれる。

ロトのとき、神は天使(御使い)たちを送ってロトを守り、逃れさせせた。現代の危機とプレッシャーの時代にも、神はご自分に忠実な方なので、私たちは、必要な時に天使の超自然的な守りと助けを受ける権利を持っている。ヘブル人への手紙の記者は「**御使いはみな、仕える霊であって、救いの相続者となる人々に仕えるため遣わされた**」(ヘブル一・14)と書いている。

ノアとロトの時代には、恐ろしい悪の描写があり、今日の社会の状況と酷似しているが、良い面にも目を向けよう。神が答えを備えていない状況はない、という確信を持とう。神は自分のしもべたちに、これから何が起こり、生き残るためには何をしたら良いか、という超自然的な警告を与えてくださる。神はまた、私たちを守り救い出すために、天使をも送ってくださる。現代でも、神がそうしてくださると、私たちは期待することができる。

六章　キリストが来るときの衝撃

預言の背骨であるマタイ二四章は、最後の部分でキリストの再臨について教えている。これは二五章へとつながっていく。

イエスが再び地上に戻ってくる時、それを迎える人々が四つのカテゴリーに分けられている。留守を任されたしもべ、一〇人の乙女、タラントを預かったしもべ、羊とヤギの国々だ。

忠実で賢いしもべ

最初のカテゴリーは、マタイ二四章四五節から描かれている。主人がしもべにある仕事を任せて出かける。主人の家の者たちの面倒を見て、食事をさせるのが主な仕事だ。

「主人から、その家のしもべたちを任されて、食事時には彼らに食事をきちんと与えるような忠実な思慮深いしもべとは、いったいだれでしょうか。主人が帰って来たときに、そのようにしているのを見られるしもべは幸いです。まことに、あなたがたに告げます。その主人は彼に自分の全財産を任せるようになります。ところが、それが悪いしもべで、『主人はまだまだ帰るまい。』と心の中で思い、その仲間を打ちたたき、酒飲みたちと飲んだり食べたりし始めていると、そのしもべの主人は、思いがけない日の思わぬ時間に帰って来ます。そして、彼をきびしく罰して、その報いを偽善者たちと同じにするに違いありません。しもべはそこで泣いて（すすり泣いてNKJV）歯ぎしりするのです。」（マタイ二四・45〜51）

仕事を任されたしもべ、責任者とはどんな人物だろう。ペテロはこう書いている。

そこで、私は、あなたがたのうちの長老（年長者）たちに、同じく長老のひとり、キリストの苦難の証人、また、やがて現われる栄光にあずかる者として、お勧めします。あなたがたのうちにいる、神の羊の群れを、牧しなさい。強制されてするのではなく、神に従って、自分から進んでそれをなし、卑しい利得を求める心からではなく、心を込めてそれをしなさい。あなたがたは、その割り当てられている人たちを支配するのではなく、むしろ群れの模範となりなさい。そうす

れば、大牧者が現われるときに、あなたがたは、しぼむことのない栄光の冠を受けるのです。
（Ｉペテロ五・1〜4）

自分の羊の群れの内に、監督者として置かれた人たちのことを語っている。監督者――牧師、指導者、長老、使徒――はイエスによって、群れの内で群れのために任命されている。「内に」という言葉に注目したい。監督者は、群れのために任命されただけでなく、群れの「内に」いる。エペソ人への手紙四章十一節で説明されている五役者[注1]についても、同じことが言える。

二節でペテロは、民への特別な責任を与えられた人に向かって「**自分たちの内にいる、神の羊の群れを、牧しなさい**」と語っている。その人が民の内のほかの者より高い地位にあるという意味ではない。使徒がある町の住人になると、そこで長老の地位を与えられることになっていたので、ペテロは彼らに「長老になった者は、注意深く自分の務めを果たしなさい。いずれ神の前に立つ時、どう責任を果たしたか説明を求められる」と警告している。

イエスは、こう言っている。「**主人から、その家のしもべたちを任されて、食事時には彼らに食事をきちんと与えるような忠実な思慮深いしもべ**」（マタイ二四・45）

しもべ、また監督者の第一の条件は「成功者」ではなく「忠実な者」だ。私は以前、宣教師としてふたつの場所で働いたことがある。前任の宣教師たちは忠実に働き、命を捧げた人もいたが、ほとんど成果をあげることができなかった。後任の私は良い結果を出したが「あなたの働きが優れていたからではない」と神が示してくれた。前の人たちが忠実に働いて畑を耕してくれていたので、私が収穫することができた。それを心に刻んでいる。神は、この世が言う「成功者」を求めてはいない。「忠実なしもべは誰だ」と探している。成功とは、神から託された仕事に忠実に取り組んで、成し遂げることである。

神はしもべに、神の民に適切な時に食べ物を与える仕事を命じた。これが牧師、羊飼いの役割だ。真の牧者は、自分の群れが何を必要としているかを知っている。群れごとに必要なものは違う。教会や集会に招かれて働きをするとき、私は必ずそこの牧師や指導者に「あなたの群れの人たちは、いま何を必要としていますか」と尋ねることにしている。この働きは、人の必要を敏感に感じとる力が必要だ。

次に、イエスはその働きの報いを教えている。**「主人が帰って来たときに、そのようにしているのを見られるしもべは幸いです。まことに、あなたがたに告げます。その主人は彼に自分の全財産を任せるようになります。」**（マタイ二四・46〜47）

もうひとりのしもべ

この人生で忠実に働くと、次の永遠の人生で高い地位を与えられる。これを知ると厳粛な気持ちにさせられる。この世界でどう生きるかで、次に来る永遠の世での自分の人生が決まる。忠実に代わるものはない。

イエスの話を続けて見ていくと、「しかし」にぶち当たる。

「**ところが**（しかし NKJV）、**それが悪いしもべで、『主人はまだまだ帰るまい。』と心の中で思い、その仲間を打ちたたき、酒飲みたちと飲んだり食べたりし始めていると、**」（マタイ二四・48〜49）

ローマ人への手紙一四章と、第二コリント人への手紙五章には、キリストの裁きの座で、教会が裁かれることが書かれている。ここを読むと、ふたつのカテゴリーしかないことがわかる。良いか悪いか。中間はない。ところが、私たちは教会の中で「良くはないが悪くもない」という三番目のカテゴリーを作り出した。しかし、神の視点からはそれは存在しない。「良い」でなければ「悪い」のだ。

悪いしもべは「主人の帰りは遅くなるに違いない」と考えている。間もなく主が戻ってくるというビジョンを失ってしまった。教会でも、主イエスが戻ってくることが十分に教えられていないと、聖さの基準が新約時代の教会からはるかに下がってしまう。イエスの来臨が間近だと認識していないと、神の民は聖さを保つことができない。

では、悪いしもべについては、イエスはなんと言っているだろう。

「そのしもべの主人は、思いがけない日の思わぬ時間に帰って来ます。そして、彼をきびしく罰して（しもべをふたつに裂き NKJV）、**その報いを偽善者たちと同じにするに違いありません。しもべはそこで泣いて歯ぎしりするのです。」**（マタイ二四・50〜51）

主人が帰ってきた時、しもべは迎える準備ができていない。怒った主人はしもべをふたつに裂くとある。主人とは、もちろんイエスを指す。イエスが人をふたつに切り裂くことがあると知っていただろうか。イエスは救い主というだけでなく、裁判官だ。私たちを完璧に、そして忠実に救ってくれたのと同様に、完璧に、そして忠実に裁きを行なう。私たちは裁判官であるイエスの前に立つことになっている。そのときの判決はふたつにひとつだ。良いか悪いか。有罪か無罪か。

すすり泣きと歯ぎしりがある

イエスは続ける。「**そこで泣いて歯ぎしりするのです。**」この表現は新約聖書で五回、ある種の人たちに対して使われている。主をよく知っていて、真理を聞いたことがあり、生きている時に真理のすぐそばにいたが、真剣に取り組むことがなかった人たちだ。泣いて歯ぎしりするのは、自分たちはいつもすぐそばにいて、その気になればいつでも真剣に関わることができた、ということに突然気づくからだ。しかし、そうしなかったので、永遠に締め出されてしまった。

イエスは、マタイ八章十二節で「御国の子ら」つまり、同胞のユダヤ人たちにこう言っている。「**あなたたちが私を拒絶したから、異邦人たちがやって来る。彼らが御国に入り、あなたたちは締め出される。そして、そこには涙と歯ぎしりがあるだろう。**」ユダヤ人たちはすべてを知っていて、ずっと機会があったのに逃してしまった。

次のマタイ十三章四二節は、小麦畑のカラスノエンドウ（毒麦）にたとえられた人たちに向けられている。カラスノエンドウは小麦にそっくりだが、実を結ばない。だから、天使たちが来て根こそぎにし、炉にくべて燃やしてしまう。そこで泣いて歯ぎしりするだろう、とイエスは言っている。彼らは生きている間、ずっとすぐそばにいたが、決して中に入ろうとはしなかった。

マタイ二十二章十二節から十三節は結婚の宴席のたとえ話だ。ひとりの客が式服を着ないで入ってくる。当時の慣習では、婚礼の客は式服を自分で用意する必要はなく、主催者が準備することになっていた。だから、その服を着ずに会場に入るというのは、主催者に対してとても失礼な態度にあたる。そこで王は言う。「**あなたは、どうして礼服を着ないで、ここに入って来たのですか。**」男は答えられない。そこで王は言う。「**あれの手足を縛って、外の暗やみに放り出せ。そこで泣いて歯ぎしりするのだ。**」（マタイ二十二・12、13）

ここでも、すべてを知っていたにも関わらず、という人物が描かれている。結婚の席への招待状を受け取ったが、ふさわしい服装をしなかった。この服とは、イエス・キリストの義を表す。

そして、ルカ十三章二六節のなかで、イエスにこう訴える人たちが登場する。「**私たちは、ごいっしょに、食べたり飲んだりいたしましたし、私たちの大通りで教えていただきました。**」しかし、イエスはこう答える。「**私はあなたがたがどこの者だか知りません。不正を行なう者たち。みな出て行きなさい。**」

一〇人の乙女

では、二番目のカテゴリーを見てみよう。イエスが来る時に衝撃を受ける人たちで、マタイ二五章の一節から、複数のたとえが語られる。ここに次の「それから」が登場する。
まず一〇人の乙女の話。聖書で、一〇は人々の集まりを表す数字だ。ユダヤ教ではミニヨンと呼ばれ、公的な祈りを捧げるには、一〇人の成人がいることが義務付けられている。個人的な見方だが、一〇人の乙女たちは教会のメンバーを表しているのではないだろうか。

「そこで（それからNKJV）、天の御国は、たとえて言えば、それぞれがともしびを持って、花婿を出迎える十人の娘のようです。そのうち五人は愚かで、五人は賢かった。愚かな娘たちは、ともしびは持っていたが、油を用意しておかなかった。賢い娘たちは、自分のともしびといっしょに、入れ物に油を入れて持っていた。花婿が来るのが遅れたので、みな、うとうとして眠り始めた。ところが、夜中になって、『そら、花婿だ。迎えに出よ。』と叫ぶ声がした。娘たちは、みな起きて、自分のともしびを整えた。ところが愚かな娘たちは、賢い娘たちに言った。『油を少し私たちに分けてください。私たちのともしびは消えそうです。』しかし、賢い娘たちは答えて言った。『いいえ、あなたがたに分けてあげるにはとうてい足りません。それよりも店に行って、自分のをお買いなさい。』そこで、買いに行くと、その間に花婿が来た。用意のできていた娘たちは、彼といっしょに婚礼の祝宴に行き、戸がしめられた。そのあとで、ほかの娘たちも来て、「ご主人さま、ご主人さま。あけてください。」と言った。しかし、彼は答えて、『確かなところ、私は

あなたがたを知りません。』と言った。だから、目をさましていなさい。あなたがたは、その日、その時を知らないからです。」（マタイ二五・1〜12）

一〇人の乙女たちには全員、三つの共通点がある。

一．全員、花婿を待っていた。全員、花婿が来ることを知っていた。つまり、神を信じない者（ノンクリスチャン）ではない。

二．全員、ランプと油を持っていた。聖書では、油は聖霊を意味することが多い。つまり、彼女らは全員、人生で聖霊を受け取っていた。

三．賢い乙女たちも愚かな乙女たちも全員、居眠りをした。

違いはひとつだけ、持っていた油の量だ。賢い乙女は十分な油、予備の油を持っていた。愚かな乙女は予備の油を持っていなかった。ここでも中間のカテゴリーはない。私たちは賢い者になるか、愚かな者になるかのどちらかだ。パウロがエペソ人への手紙で言っていることと、油とを関連させてみよう。

「酒に酔ってはいけません。そこには放蕩があるからです。御霊に満たされなさい。」（エペソ五・18）

「酒に酔ってはいけない」という言葉に同意する人は多いだろう。だが、否定形の命令にだけでなく、肯定形の命令にも注目しよう。「聖霊に満たされなさい」と命じている。ワインで酔っ払うのは罪だが、同様に聖霊に満たされないことも罪ということだ。

ここをギリシャ語原語に忠実に訳すと「満たされ続け、新たに満たされなさい」となる。一度満たされたらお終いではない。「私は一〇年前に聖霊のバプテスマを受けて、その時、異言で祈ったんだ」と語る人がいる。それは素晴らしいが、一〇年前のことだ。大切なのは、その後どうなったか。一度満たされたら十分と考える人は、その後の聖霊の導きに鈍感になりがちだ。初めて異言で祈った時は、聖霊を確かに受けただろう。だが、それで十分ではない。私たちは聖霊に満たされ続け、また新たに満たされなくてはいけない。

一〇人の乙女は全員、最初の聖霊の満たしは受けたが、満たされ続けたのは全員ではなく、準備ができていない者たちがいた。

「行って油を買いなさい」と賢い方が愚かな方に言っているのも面白い。それは買うもので、贈り物として受け取るものではない。そもそもは、聖霊は賜物だ。しかし、聖霊に満たされ続けたいなら、私たちは何らかの代価を払わなくてはいけない。イエスがラオデキヤの教会に語っていることは、現代の教会に多くの点で当てはまる。

「あなたは、自分は富んでいる、豊かになった、乏しいものは何もないと言って、実は自分がみじめで、哀れで、貧しくて、盲目で、裸の者であることを知らない。わたしはあなたに忠告する。豊かな者となるために、火で精練された金をわたしから買いなさい。また、あなたの裸の恥を現わさないために着る白い衣を買いなさい。」（黙示録三・17〜18）

イエスのアドバイスはこうだ。「わたしはあなたに金をただでやることはしない。あなたはわたしから金を買わなくてはいけない。」昔は金の純度を計るために火を使った。ここで金は、試練の火を通り抜けた信仰を表している。イエスは「忍耐によってそれを買いなさい」と言っている。試練を通り抜けなければいけない。クリスチャンの人生で、すべてが無料というわけではない。あるものは代価を払って手に入れなくてはいけない。

黙示録で、イエスがふたつの教会をどう評価しているか、現代のキリスト教会と比べて見てみよう。ひとつはスミルナの教会。貧しく、迫害を受け、ほとんど何も持っていなかったが、イエスはこう言っている。「**あなたは富んでいる**」（黙示録二・9）。対して、すべてを持っていたラオデキヤの教会には、「**あなたは貧しい**」（黙示録三・17）と言っている。では、現代の教会には、イエスはなんと言うだろう。ここから、人の評価は往々にして神とは反対だということがわかる。「**人**

間の間であがめられる者は、神の前で憎まれ、きらわれます。」（ルカ一六・15）とイエスは言っている。

愚かな乙女らは、油を買いに行ったが間に合わない。戻った時には扉は閉まっていて、イエスは「私はあなたをまったく知らない」と言っている。彼女らは神に選ばれた人たちではなかったということだ。やっては来たが、決してテストに合格しないことを神は知っていた。

どうやって油を買えばいいのだろう。祈りによって、聖書を読むことによって、神を待ち望むことによってだ。どれも時間と努力とを要する。ぱっと達成できることではない。決心をするのはあなた自身だ。あなたは、自分の油を買って備えているだろうか。

タラントを任されたしもべたち

主が来る時に衝撃を受ける三番目のカテゴリーのグループは、タラントを預かったしもべたちだ。長いが大切なので、全部引用しよう。

「天の御国は、しもべたちを呼んで、自分の財産を預け、旅に出て行く人のようです。彼は、お

のおのその能力に応じて、ひとりには五タラント、ひとりには二タラント、もうひとりには一タラントを渡し、それから旅に出かけた。五タラント預かった者は、すぐに行って、それで商売をして、さらに五タラントもうけた。同様に、二タラント預かった者も、さらに二タラントもうけた。ところが、一タラント預かった者は、出て行くと、地を掘って、その主人の金を隠した。さて、よほどたってから、しもべたちの主人が帰って来て、彼らと清算をした。すると、五タラント預かった者が来て、もう五タラントを差し出して言った。『ご主人さま。私に五タラント預けてくださいましたが、ご覧ください。私はさらに五タラントもうけました。』その主人は彼に言った。『よくやった。良い忠実なしもべだ。あなたは、わずかな物に忠実だったから、私はあなたにたくさんの物を任せよう。主人の喜びをともに喜んでくれ。』

二タラントの者も来て言った。『ご主人さま。私は二タラント預かりましたが、ご覧ください。さらに二タラントもうけました。』その主人は彼に言った。『よくやった。良い忠実なしもべだ。あなたは、わずかな物に忠実だったから、私はあなたにたくさんの物を任せよう。主人の喜びをともに喜んでくれ。』

ところが、一タラント預かっていた者も来て、言った。『ご主人さま。あなたは、蒔かない所から刈り取り、散らさない所から集めるひどい方だとわかっていました。私はこわくなり、出て行って、あなたの一タラントを地の中に隠しておきました。さあどうぞ、これがあなたの物です。』

ところが、主人は彼に答えて言った。『悪いなまけ者のしもべだ。私が蒔かない所から刈り取り、散らさない所から集めることを知っていたというのか。だったら、おまえはその私の金を、銀行に預けておくべきだった。そうすれば私は帰って来たときに、利息がついて返してもらえたのだ。だから、そのタラントを彼から取り上げて、それを十タラント持っている者にやりなさい。』

だれでも持っている者は、与えられて豊かになり、持たない者は、持っているものまでも取り上げられるのです。役に立たぬしもべは、外の暗やみに追い出しなさい。そこで泣いて歯ぎしりするのです。」（マタイ二五・14～30）

利益を出したしもべたちは、それぞれ一〇〇パーセントずつ増やした。五タラント預かった者は五増やし、二タラント預かった者は二増やした。ふたりに対する褒め言葉は全く同じだ。主人は五タラントのしもべを二タラントのしもべより褒めることはしていない。神は私たちに増やすことを求めている。そして絶対額ではなく割合をご覧になる。どちらも一〇〇パーセントの利益を上げたので、ふたりに同じ褒め言葉を与えた。

前のところで見たとおり、神は成功ではなく忠実さを求めている。ふたりのしもべはどちらも、キリストの御国で働きに見合った権威を報酬として受け取る。言い換えると、私たちがこの世の人生でどのように仕えるかが、永遠に続く神の御国での立場を決めることになる。

恐れが生み出すもの

では、三番目の不忠実なしもべを見てみよう。彼は恐れから行動している。これは主に仕える正しい動機ではない。動機は愛であるべきだ。イエスはこう言った。「**だれでもわたしを愛する人は、わたしのことばを守ります。**」（ヨハネ一四・23）パウロはこう説明している。「**なぜなら、キリストの愛がわたしたちを駆り立てているからです**」（Ⅱコリント五・14　新共同訳）。愛だけが、実りある働きを生む。

次は、クリスチャンにとって重要な教訓だ。「なまけ者の悪いしもべ」と神が呼んでいる。ほとんどの教会は酒に酔うことには厳しいが、なまけることには寛大だ。しかし、神は、なまけ者を酔っ払いより厳しく取り扱っている。

教会には、神のためにほとんど何もしない人たちがいる。なまけて聖書も読まないし、起きて祈ることもしない。集会にも参加しない。礼拝堂の席に座って、にこやかに挨拶を交わし、誰にも迷惑をかけず、いくらか献金をする。こんな人たちは「悪い人」とは呼ばれないが、神は「悪いなまけ者のしもべ」と呼ぶだろう。

「私の金を銀行に預けるべきだった」と主人は続けている。この表現から、利息を受け取ることは必ずしも悪ではないことがわかる。旧約聖書には、利子をとって金を貸してはいけないという教えがあるが、それは同胞のユダヤ人に貸す場合だ。困っている人に貸して利息を取るのは悪だ。しかし、ビジネスをして利益を上げる人や会社に貸す場合は、利息を受け取るのは正当な行為だ。私はそう理解している。イエスは、しもべがほかに何もできないなら、銀行にお金を預けることを期待している。

私たちにはどう当てはまるだろう。「金を銀行に預ける」とは、「私自身は、神のための直接の働きは（ほとんど）していない」が、「ここに投資すべき一タラントがある。あのミニストリーに預けてみよう。あれは神の御国のために働いて実を実らせている。あそこに捧げよう。あそこの働きに関わって、必要なら献金もしよう」ということではないだろうか。そうすれば主が戻って来た時、あなたは預かったタラントに利息をつけて返すことができる。

心理学で一タラントのマインドを持つ人は失敗する、とされる。五タラント持つ人は、何をしようかと胸を踊らせる。自分が何かできると知っているからだ。二タラントの人もワクワクしている。ところが、一タラントの人は、自分には何もできないと、自分に言い聞かせてしまう。残念でとても危険な態度だ。

使いなさい、さもなければ失います

次の真理は「使わないと失う」だ。神は霊の賜物を無条件で与える。返しなさいとは言わない。でも、受け取った賜物を用いないと失ってしまう。

一九七〇年代の初めに、神は私にある賜物をくださった。足の長さが違う人たち（たいていの人はそのために腰痛がある）のために祈ると、同じ長さになるというユニークな賜物だ。私は何千人もの人たちのために祈り、足の長さが同じになるのを見てきた。何人かの友人は私に「デレクよ、君はすばらしい聖書教師として評判が高いんだから、人の前にひざをついて、足の長さを同じにするために祈るなんて、やめた方がいいんじゃないか」と忠告してきた。私は「なるほど、そうかもしれない」と思い、祈った。

主はこう答えた。「わたしがあなたに賜物を与えた。それを使ってもっと賜物を受け取るか、使わずにそれを失うか、選ぶのはあなただ」。私は叫んだ。「主よ、使うことを選びます！」私たちは一人ひとり、何らかの賜物を受け取っている。それを使わなければ失ってしまう。使えばもっと与えられる。どちらを選ぶか、決めるのはあなただ。

不忠実なしもべが拒絶されたのは、最終的な判決だった。外の闇に放り出され、二度と戻れない。彼が行った所、そこには、すすり泣きと歯ぎしりがある。

ミナのたとえ話

同じテーマのたとえ話が、ルカ一九章にある。こちらのお金の単位はミナだ。マタイ二四章のタラントのたとえと違う箇所がある。マタイでは能力に応じて違った額が渡されたがルカでは一〇人のしもべは一律、一ミナずつ受け取る。

ルカのたとえ話の最後で、ひとりは一〇ミナ増やしている。一〇倍のもうけだ。主人は彼にこう言う。「**よくやった。良いしもべだ。あなたはほんの小さな事にも忠実だったから、十の町を支配する者になりなさい**」(17節)。五ミナ増やした者には主人はこう言う。「**あなたも五つの町を治めなさい**」(19節)。しかし、「よくやった、良いしもべだ」とは言っていない。一〇ミナを増やしたしもべとは同じレベルではない。マタイのたとえ話のように、ひとりは全く増やせなかった。このしもべは同じように「悪いしもべ」と呼ばれ、一ミナを取り上げられてしまう。

ルカ一九章の最初の方で、身分の高い人がミナを手渡す時、市民はこう言う。「**この人に、私たちの王にはなってもらいたくありません**」(14節)。身分の高い人は、それを忘れなかった。話の最後でイエスはこう言う。「**私が王になるのを望まなかったこの敵どもは、みなここに連れて来て、私の目の前で殺してしまえ。**」(27節)

これは、私たちが知っている謙遜で柔和なイエスだろうか。もちろんイエスは優しい方だが、それがすべてではない。神に任命された裁判官だ。収益をあげない者を「悪いしもべ」と呼び、そのミナを取り上げ、永遠に追放する。

羊の国とヤギの国

主が戻って来る時、同じようなショックを受ける四番目のカテゴリーの人々は、マタイ二五章に出てくる羊とヤギの国（民族）だ。ここも長いが大切なので全部を引用する。

人の子が栄光を帯びてくる時、すべての聖なる天使を伴って来る。

「（それからNKJV）人の子が、その栄光を帯びて、すべての御使いたちを伴って来るとき、人の子はその栄光の位に着きます。そして、すべての国々の民が、その御前に集められます。彼は、羊飼いが羊と山羊とを分けるように、彼らをより分け、羊を自分の右に、山羊を左に置きます。そうして（それからNKJV）、王は、その右にいる者たちに言います。『さあ、わたしの父に祝福された人たち。世の初めから、あなたがたのために備えられた御国を継ぎなさい。あなたがたは、わたしが空腹であったとき、わたしに食べる物を与え、わたしが渇いていたるとき、わたしに

飲ませ、わたしが旅人であったとき、わたしに宿を貸し、わたしが裸のとき、わたしに着る物を与え、わたしが病気をしたとき、わたしを見舞い、わたしが牢にいたとき、わたしをたずねてくれたからです。』

するとＮ（それからNKJV）、その正しい人たちは、答えて言います。『主よ、いつ、私たちは、あなたが空腹なのを見て、食べ物を差し上げ、渇いておられるのを見て、飲ませてあげましたか。いつ、あなたが旅をしておられるときに、泊まらせてあげ、裸なのを見て、着る物を差し上げましたか。また、いつ、私たちは、あなたのご病気やあなたが牢におられるのを見て、おたずねしましたか。』

すると、王は彼らに答えて言います。『まことに、あなたがたに告げます。あなたがたが、これらのわたしの兄弟たち、しかも最も小さい者たちのひとりにしたのは、わたしにしたのです。』

それから、王はまた、その左にいる者たちに言います。『のろわれた者ども。わたしから離れて、悪魔とその使いたちのために用意された永遠の火にはいれ。おまえたちは、わたしが空腹であったとき、食べる物をくれず、渇いていたときにも飲ませず、わたしが旅人であったときにも泊まらせず、裸であったときにも着る物をくれず、病気のときや牢にいたときにもたずねてくれなかった。』

そのとき（それからNKJV）、彼らも答えて言います。『主よ、いつ、私たちは、あなたが空腹

であり、渇き、旅をし、裸であり、病気をし、牢におられるのを見て、お世話をしなかったのでしょうか。』すると、王は彼らに答えて言います。『まことに、おまえたちに告げます。おまえたちが、この最も小さい者たちのひとりにしなかったのは、わたしにしなかったのです。』こうして、この人たちは永遠の刑罰にはいり、正しい人たちは永遠のいのちにはいるのです。」（マタイ二五・31〜46）

この箇所を理解するために、ヨエル書三章を見よう。これがヨエル三章に続いていることがわかる。主がこう言っている。**「見よ。わたしがユダとエルサレムの捕われ人を返す、その日、その時」**（ヨエル三・1）

これは、今の時代についての預言だ。主がユダヤの捕囚、国外に逃れた者たちを世界中から連れ帰る時を描写している。過去六十年の間に、百を超える国々からユダヤ人がイスラエルの地に帰還している。私は以前、イスラエルのヘブライ大学でヘブライ語を学んでいたが、クラスには三〇カ国から帰還した生徒がいた。この預言はいま私たちの目の前で実現している。

国々が裁かれる

続くヨエル書の記述は、イスラエルの別の場所で起こる集まりについてだ。

わたしはすべての国民（異邦人たち）**を集め、彼らをヨシャパテ**（主の裁き）**の谷に連れ下り、その所で、彼らがわたしの民、わたしのゆずりの地イスラエルにしたことで彼らをさばく。彼らはわたしの民を諸国の民の間に散らし、わたしの地を自分たちの間で分け取ったからだ。**

（ヨエル三・2 括弧内著者）

今の時代が終わるとき、国々が裁かれることが書いてある。神は言う。「わたしは彼らを裁く。彼らがユダヤ人とイスラエルをどのように扱ってきたかに基づいて裁く」。聖書で、国々、諸国、異邦人という表現が出てくる時は、神の民であるユダヤ人以外の民族や国を指す。教会にはまた、別な裁きがある。これについては、後でパウロの教えを見ていく。ここでは、人の子が集めるのはユダヤ人でなく異邦人たちだ、と確認しておきたい。

一．ひとつ目の罪状

「**彼らはわたしの民を諸国の民の間に散らし**」とある。申命記二八章で、モーセはイスラエルの民が自分の土地から追い出されて国外に散らされることを預言している。これらは大きくふたつの時代に起こった。最初の捕囚は紀元前七二〇から六〇〇年の間で、北のイスラエル王国がアッシリアに、南のユダ王国がバビロンに追放された。

二回目は紀元七十年、この破壊と捕囚の規模ははるかに大きく、イスラエルに住んでいたほとんどの民がローマ軍に殺されるか、国外に追放された。生き残ったユダヤ人の大半は、二〇世紀半ばにイスラエル国家が再建されるまで、国外に散り散りになっていた。しかし現在もなお、自分の地に住んでいるユダヤ人は、世界のユダヤ人口の四分の一に過ぎない。注2

過去二〇〇〇年のユダヤ人の歴史を知る人は誰でも、モーセを通しての国外追放の預言が、その通りに実現したことを認めるだろう。それも一度だけでなく、何度も世界の様々な国で起こった。この預言の成就が、聖書時代だけに起こったのではなく、数世紀前に起こって終わったのでもなく、今日まで続いていることに目を向けたい。そして、イスラエルの離散に関わった国々は、神にその責任を問われることになる。

二．ふたつ目の罪状

「**わたしの地を自分たちの間で分け取った**」と神が言っている。まず、忘れてはいけないのは、それが神の土地だということだ。二番目は、その地がユダヤ人に属するということ。その地は、神が永遠の契約によって、永遠の所有としてユダヤ人に与えた。誰が占領していても、所有権は変わらない。その地は神とユダヤ人のものだ。ここで強調しておくが、神がユダヤ人を回復するのは、彼らにその価値があるからではない。神は、はっきりこう言っている。「**イスラエルの家よ。わたしが事を行なうのは、あなたがたのためではなく……わたしの聖なる名のためである。**」

（エゼキエル三六・22）

「地を分ける」「分け取った」は、現代の政治用語ではイスラエルの分割だ。一九二〇年前後に国際連盟は、イギリスにイスラエルの地、ヨルダン川の西岸と東岸の両方を委任した。目的はユダヤ民族に民族的郷土を提供することだった。一九二二年、当時のイギリス首相ウィンストン・チャーチルは、サインひとつで土地の七六パーセントをアラブの国に与えた。当時、そこはトランス・ヨルダン、現在はヨルダンと呼ばれ、ユダヤ人が住むことは許されない。このように土地は七六パーセントと二四パーセントに分けられた。一九四七年、国際連盟を引き継いだ国際連合は、残された二四パーセントをさらに一〇パーセントと一四パーセントに分け、前者をイスラエルに、後者をアラブ人に与えようとした。

彼らの罪はなんだろう。神の土地を分割したことだ。そして、これらの国々は、その申し開きをすることになる。

私はイギリス人として生まれ、分割が行なわれてイスラエル国家が誕生したまさにその時、イスラエルに住んでいた。一連のことを自分の目で見たので、証言できる。直後に戦争が起こり、イギリス政府はイスラエル国家の誕生を阻むためにあらゆることをした。しかし、イスラエルは生まれ、大英帝国はバラバラになった。戦争での大敗を経験しなかったにも関わらず、帝国は崩壊してしまった。なぜだろう。イスラエルとその土地に対して罪を犯したからだ。このことから、神がこのことにどれだけ真剣なのかがわかる。

ユダのライオン

イエスは羊とヤギの国のたとえ話を、こう始めている。「**すべての御使いたちを伴って来るとき、人の子はその栄光の位に着きます**」（マタイ二五・31）。栄光の王座とは、主の裁きの王座、地上の王としての王座だ。この段階の前まで、主は父なる神の王座に共に着いていた。しかし、この時点で、地上の自分の王座、ご自身の王国の王座に着く。

「**すべての国々の民が、その御前に集められます。彼は、羊飼いが羊と山羊とを分けるように、彼らをより分け、羊を自分の右に、山羊を左に置きます。**」（マタイ二五・32～33）

すべての国がふたつのグループに分けられる。羊は右に、ヤギは左に。羊は神に受け入れられ祝福され呪われる。ヤギは拒否され呪われる。「**そうして**（それからNKJV）、**王は、その右にいる者たちに言います。『さあ、わたしの父に祝福された人たち。世の初めから、あなたがたのために備えられた御国を継ぎなさい。』**」（34）

この後、ヤギの国々への言葉がある。「**それから、王はまた、その左にいる者たちに言います。『のろわれた者ども。わたしから離れて、悪魔とその使いたちのために用意された永遠の火にはいれ。』**」（41）

運命がふたつに分かれる。ひとつは祝福され、ひとつは呪われる。国々を分ける裁判の原則はこうだ。どういう国が受け入れられるか。「**王は彼らに答えて言います。『まことに、あなたがたに告げます。あなたがたが、これらのわたしの兄弟たち、しかも最も小さい者たちのひとりにしたのは、わたしにしたのです。』**」（40）

それから、拒絶される国の原則はこれだ。「**王は彼らに答えて言います。『まことに、おまえたちに告げます。おまえたちが、この最も小さい者たちのひとりにしなかったのは、わたしにしなかったのです。』**」（45）

神が国々を裁く基準はひとつ。イエスの兄弟たちにどう接し、どう扱ったか。ここでの「兄弟たち」は、ヨエル三章二節から、神が「わたしのもの」と呼んでいるイスラエルを指すことがわかる。すべての国は、ユダヤ人をどう扱い、どう関わったかによって裁かれる。

イエスは、地上で過ごした三十三年間だけユダヤ人だったのではない。黙示録の五章を見てみよう。ヨハネは幻の中で、開かれるべき巻物を見たが、誰もそれを開くことができない。嘆いて泣いていると、長老のひとりが言う。**「泣いてはいけない。見なさい。ユダ族から出たしし、ダビデの根が勝利を得たので、その巻物を開いて、七つの封印を解くことができます。」**（黙示録五・5）

イエスの永遠の称号は「ユダ族のライオン（獅子）」だ。ユダという名前からユダヤという言葉が出ている。ヘブライ語でユダは「イェフダ」、ユダヤ人は「イェフディ」と一音違いだ。「ユダ族のライオン」、これがイエスの永遠の称号だ。

いま、反ユダヤ主義（アンチ・セミティズム）が世界中で色濃くなっているが、私たちは自分自身の態度に気をつけなくてはいけない。私たちは全員、裁きを受けるからだ。マタイ二五章には、服も食べ物も住まいもなく、牢屋の中で病気の様子のユダヤ人たちが描かれている。これは反ユダヤ主義が世界に急激に広がることを示している。その予兆はすでに始まっている。神がそれを許される。

次のことに注意したい。ヤギの国々の罪はなんだろう。ユダヤ人にあわれみを示さなかったことだ。ユダヤ人を迫害したわけではないが、あわれみを示さなかった。それに対する裁きをもう一度見よう。王は左側にいる者たちに「**のろわれた者ども。わたしから離れて、悪魔とその使いたちのために用意された永遠の火にはいれ**」と言う。

イエスの言葉の中で最も恐ろしい判決の言葉だ。火の海はもともと人類のために用意されたのではない。私たち人間はそこに行く必要はない。悪魔とその使いたちが入れられる。だが、間違った選択をすると、彼らと一緒にそこに行くことになる。

神の祝福と神の裁きの原則はこれだ。神はユダヤ人を直接祝福する。そしてユダヤ人を通して異邦人を祝福する。私たちユダヤ人でない者は全員、すべての霊的な祝福をユダヤ人から受けている。しかし、裁くときには、神は異邦人を直接裁き、異邦人を通してユダヤ人を裁く。この原則は旧約聖書全体に見られる。しっかりと理解しよう。

預言の背骨の完成

この章で、イエスが戻るときに衝撃を受ける人々、四つのグループがあることを見た。最初の三つのグループはキリストの体（教会）の中にいる。四つ目は世界のすべての国々について語っている。

私たちは、オリーブ山でイエスが弟子たちに個人的に語ったメッセージの最後にたどりついた。生みの苦しみから始まり、王が地上の自分の王座について、国々を裁く栄光に満ちた場面で終わる。この後は、預言の背骨に関連する他の聖書箇所を見ていこう。

注2　教会の中での五つの役割（使徒、預言者、伝道者、牧師、教師）

注1　一九九〇年代当時のこと。二〇二〇年には約四七％のユダヤ人が、イスラエルに帰還している

七章　おそろしく暴力的な時代がやってくる

この章では、一世紀の教会の信徒たちに手紙を書き送ったパウロの言葉を見ていこう。パウロの預言のひとつは「よく承知しておきなさい」という特徴ある言い方で始まる。

終わりの日には困難な時代がやって来ることをよく承知しておきなさい。（Ⅱテモテ三・1）

聖書が「よく承知しておきなさい」と言うとき「これは必ず起こる」という意味だ。終わりの日々について間違った考えを持つなと、パウロは念を押している。「よく承知しておきなさい。決して疑ってはいけない。これは神が定めたことなので、祈っても、嘆願しても、どんな手段によっても変えることはできない。必ず起こる。この事実を謙遜に受け入れなさい」。この表現から、この啓示がパウロの目にどれほど重要に映ったかわかる。その啓示は決して心躍るものではない。「困難な」と訳されているギリシャ語の原語は chalepos（ハレポシュ）で、新約聖書の別の箇所に一度だけ登場する。マタイ八章二八節で、悪霊に取り憑かれたふたりの男がガダラという地から来て、ガリラヤ湖を渡ってきたイエスに出会う。このふたりの様子を描写するのに chalepos が使われ、ここでは「ひどく狂暴」と訳されている。非常に暴力的で恐ろしい、という意味だ。

それから、向こう岸のガダラ人の地にお着きになると、悪霊につかれた人がふたり墓から出て来て、イエスに出会った。彼らはひどく狂暴で、だれもその道を通れないほどであった。

（マタイ八・28）

つまり、先の第二テモテの箇所を原文に忠実に訳すと「終わりの日々には、恐ろしく暴力的な時が来る」となる。ただ、どんどん悪くなるのは「物事」ではなくて人だ。人々が圧力に屈して神から離れ、その結果、どんどん悪くなっていく。人を神から離れさせる原因は、人間の性質がどんどん堕落していくこと。もうひとつは、サタンがオカルトの領域から霊的に圧迫して来ることだ。ふたつを順に見ていこう。

人の性質が堕落する

まず、「よく承知しておきなさい」とパウロが記しているうちのいくつかが、私たちの今の文化に当てはまるか見ていこう。

終わりの日には困難な（恐ろしく暴力的な）**時代がやって来ることをよく承知しておきなさい。そのときに人々は、自分を愛する者、金を愛する者、大言壮語する者、不遜な者、神をけがす者、両親に従わない者、感謝することを知らない者、汚れた者になり、情け知らずの者**（愛さない者NKJV）、**和解しない者、そしる者、節制のない者、粗暴な者、善を好まない者になり、裏切る者、向こう見ずな者、慢心する者、神よりも快楽を愛する者になり、見えるところは敬虔であっても、その実を否定する者になるからです。こういう人々を避けなさい。**（Ⅱテモテ三・1〜5）

やがて恐ろしく暴力的な時が来ることについて、なぜそうなるのか、パウロは根本的な原因から語り始めている。人々がこうなるからだ、とモラル的、倫理的な一八の悪をあげている。つまり、人間の性質が暗い未来を作り出す。核兵器やほかの物ではない。罪によって人間性の中にモラルと倫理の腐敗が生み出される。終わりの時代が近づくにつれ、この傾向はますます強くなる。

三節で「情け知らずの者」という言葉が使われており、KJVでは「自然な愛情に欠ける者」と訳されている。当たり前に存在すると思っていた愛が、いつの間にか失われている。母の産んだ子への愛、両親の子どもへの愛、兄弟姉妹の互いの愛。これらの愛が急速に失われていることを、誰もが感じている。原因は自己中心だ。自己を満たそうという欲望から生まれている。

終わりの時代に見られる人の性質のリストは、特定のものに対する愛が関係している。自分を愛する者、金を愛する者で始まり、快楽を愛する者で終わっている。この三つのものに対する愛が、ほかのすべての腐った性質を生み出し、互いに影響し合っている。人はなぜ金を愛するのか。快楽を愛するからだ。金でしばらくの間は快楽を買うことができる。しかし、平安や喜びを買うことはできない。また、金を愛するのはプライドの表われだ。裕福さは人を傲慢にする。自分の豊かさを見せびらかし、持っていない者より自分が優れていると勘違いしてしまう。すべて自己中心に根がある。これが私たちの社会を壊している原因だ。何を愛するかで、その人がどんな存在になるかが決まる。

自己中心な者は、こんな風だ。「君が僕のやり方が気に入らなくても、僕は自分のやり方を続けるよ。あんたはあんたで好きなようにやればいい。」この態度は今や世界の主流だ。これでたくさんの結婚が壊れ、今も壊れ続けている。結婚が壊れると家庭が壊れる。家庭が壊れると社会が壊れる。社会のさまざまな問題を解決しようと、政府が何百億円を費やしても解決できない。

解決策はひとつしかない。揺るがない家庭だ。子どもは、愛を注いでくれる両親の元で育てられるようにデザインされている。両親の片方が欠けると、不満を抱く不幸な子どもが育ち、その不満を社会にぶつけることがある。

子どもをほったらかしにしている世代は、自ら裁きの源を育てていることになる。

両親から面倒を見てもらえず、しつけを十分に受けなかった若者たちが大人になると、社会に出てから暴力や憎しみをまき散らす。それはすでに起きていて、さまざまな悲劇を生み出している。根本的な原因は自己中心にある。すべての問題はここから派生している。

結婚について、どうしたら破滅に向かうか、どうしたら成功するかをお話ししたい。「結婚したら、彼/彼女は私のために何をしてくれるだろう」という考えで結婚したら、破滅に終わる。逆に成功に向かう方法はこれだ。「結婚したら彼/彼女に、自分は何をしてあげられるだろう」と、こんな思いで結婚したら、きっと成功するだろう。私自身は二回結婚した。最初のリディアとの結婚は、彼女が天に召されるまで三〇年続き、ふたり目の妻、ルースとの結婚も彼女が天に召されるまで二〇年続いた。どちらも幸せな関係を続けることができたのは、私が良い夫だったからではない。互いが不完全でも、相手から何を得られるかではなく、相手に何をしてあげられるかに土台を置いた関係だからだ。

信仰深いふりをしながら

パウロは続いて、驚くべきコメントをする。この罪深い悪の性質に染まった人たちが「**見えるところは敬虔であっても、その実**（じつ）**を否定する**」（Ⅱテモテ三・5）と言っている。ひどい罪を犯していながら、それでも敬虔なふりをしている。敬虔と訳されているギリシャ語を、パウロが信徒以外に使うとは考えられない。自分をクリスチャンだと公言している人たちだ。しかし、彼らの人生は、キリストの出会いによって変革されていない。

彼らは信仰深いふりをしながら、人の人生を完全に、永遠に変えるイエスとの出会いの力を否定する。教会に通い、祈りを唱え、決心カードにサインしても、何も変わらない人がいる。しかし、イエスに出会ったなら、必ずその人の人生に変化が現われる。

私は第二次世界大戦中の一九四一年、英国軍の兵士宿舎でイエスに出会った。「救いの教義」も「福音」が何かも知らなかった。子どもの頃は英国国教会に通っていた。その教会には素晴らしい人たちもいたが、私はそうではなかった。聖書も信じていなかった。しかし、ある日の真夜中、私はイエスに出会った。イエスが大きな力を帯びて現われたので、私は仰向けに床に倒れ、そのまま一時間を過ごした。最初はむせび泣いていたが、やがて笑いに変わった。

部屋にはもうひとりの兵士が眠っていたが、私の大きな笑い声で目を覚ました。彼は起き上がり、用心しながら私の方に歩いてきた。倒れて笑い続ける私の周りを、おっかなびっくり、少し離れて二回ほど廻った。そしてこう言った。「いったい何が起こったのかはわからないが、別に君に水をかける必要はなさそうだ」。私の中で何かが「水をかけても消せないよ」とささやいた。

このときから、私の人生は全く変わり、それが六〇年以上続いている。イエスに出会ったからだ。イエスに出会うと、同じままの生き方を続けることはできない。

人は宗教的になっても、教会のメンバーになっても、何も変わらない人生を送り続けることがある。パウロはそれを示している。敬虔なふり、信仰深いふりをしながら、その力を否定することができると。その力とは、人を根本的に、永遠に、より良く造り変える力だ。

神の王国から除かれる

次に、恐ろしく暴力的な日々について、デリケートで重要なテーマをお話ししよう。パウロの三つの手紙から見ていこう。

「あなたがたは知らないのか」と、パウロがこう言って指摘していることを、今日の多くのクリスチャンは知らない。パウロが「兄弟たちよ。このことに無知であってほしくない」と訴えている内容を知らないままだ。この状況は、その後一九〇〇年続き、今も変わる気配がない。

またパウロは、鍵となる次の言い回しを、三つの手紙すべてで使っている。そのような者は「神の国を相続できない」。人は、イエスを受け入れて新しく生まれた時に神の王国（神の国）に入る。しかし、神の王国を受け継ぐことは、別の話だ。王国に入った者の多くが、それを受け継がない。パウロが言う正しくない生き方を続けるからだ。最初の文章はこれだ。

あなたがたは、正しくない者は神の国を相続できないことを、知らないのですか。だまされてはいけません。不品行な者（結婚していない相手と性行為をする者）、**偶像を礼拝する者、姦淫をする者**（配偶者以外と性行為をする既婚者）、**男娼となる者**（受け身の同性愛者）、**男色をする者**（攻撃的な同性愛者）、**盗む者、貪欲な者、酒に酔う者、そしる者、略奪する者はみな、神の国を相続することができません。あなたがたの中のある人たちは以前はそのような者でした。**

（Ｉコリント六・9〜11）

彼らは新生して神の王国（神の国）に入ったとしても、最終的には神の王国を受け継がない。除外されている。悔い改めないと、神の王国を受け継ぐことはできない。悔い改めをしない者は神の名簿には入れられない。神の教えを知っていて拒む者たちも、神の王国を受け継がない、とパウロは続けている。しかし、その後にパウロは美しい言葉を付け加えている。

しかし、主イエス・キリストの御名と私たちの神の御霊によって、あなたがたは洗われ、聖なる者とされ、義と認められたのです。（11）

私たちの教会や交わりに、その人たちが変えられたいと願っているなら、売春婦や同性愛者、殺人者や大酒飲みが加わることを私は心から歓迎する。しかし、変えられることを望まない人々を受け入れるのは聖書的ではない。私たちが求めているのは、人生が変えられた、という証だ。

次の文章を見てみよう。並べられている行ないは、人間関係を壊すものだ。

肉の行ないは明白であって、次のようなものです。不品行、汚れ、好色、偶像礼拝、魔術、敵意、争い、そねみ、憤り、党派心、分裂、分派、ねたみ、酩酊、遊興、そういった類のものです。前にもあらかじめ言ったように、私は今もあなたがたにあらかじめ言っておきます。こんなことをしている者たちが神の国を相続することはありません。（ガラテヤ五・19〜21）

不品行とは、結婚関係にない男女の性関係だ。「カジュアルセックス」「婚外恋愛」など別の名で呼んでも、罪深さは変わらない。神は変わらず不品行と呼ぶだろう。悪魔の策略のひとつは、以前からあるものに新しい名前をつけて罪の認識を薄めることだ。母の子宮にいる胎児の命を終わらせるのは間違ったことだが、これを中絶と呼ぶことで、別のことのように感じられるかもしれない。しかし、呼び方を変えても、その行為の性質は変わらない。

三番目の文で、パウロは、次のような者も神の王国（神の国）を受け継がないと言っている。

あなたがたの間では、聖徒にふさわしく、不品行も、どんな汚れも、またむさぼりも、口にすることさえいけません。また、みだらなことや、愚かな話や、下品な冗談を避けなさい。そのようなことは良くないことです。むしろ、感謝しなさい。あなたがたがよく見て知っているとおり、不品行な者や、汚れた者や、むさぼる者——これが偶像礼拝者です。——こういう人はだれも、キリストと神との御国を相続することができません。（エペソ五・3〜5）

このように三回、パウロは「このような者は神の国（御国）を相続できない」と言い、ガラテヤの人たちへは「あなたがたには前にも言ったが、もう一度言おう」とまで言っている。私も、もう一度繰り返そう。社会の基準は変わっていくが、神の基準は変わらない。神は昔も、今も、将来も変わらない。

オカルトが広がる

暴力的になっていくもうひとつの原因は、オカルトの力が働くようになるからだ。まさにそれが起こっている。オカルトの力が強くなり、おおっぴらに行なわれ、大胆に攻撃的になり、優位を占めるようになっている。二〇年前には、このようなことは想像できなかったが、聖書の預言どおりに成就している。

信徒たちが、超自然的な悪魔の圧力に惑わされるようになる。「**しかし、御霊が明らかに言われるように、後の時代になると、ある人たちは惑わす霊と悪霊の教えとに心を奪われ、信仰から離れるようになります。**」（Ⅰテモテ四・1）

信仰から離れるとあるので、クリスチャンを指しているとわかる。サタンの強いプレッシャーの下で、クリスチャンの中に、悪霊にあざむかれて信仰から離れる人たちが出てくる。第二テモテ三章で、パウロはさらに詳しく説明している。

また、こういう人々は、ちょうどヤンネとヤンブレがモーセに逆らったように、真理に逆らうのです。彼らは知性の腐った、信仰の失格者です。（Ⅱテモテ三・8）

ヤンネ、ヤンブレは、エジプトでモーセとアロンに逆らったふたりの魔術師だ。その戦いは自然界のものではなかった。物質的なものでも神学的なものでもなく、霊的な領域での戦いだった。終わりの時代について、ヤンネとヤンブレを持ち出してパウロは警告している。オカルトによる悪魔的で超自然的なわざが「**偽りの力**」（Ⅱテサロニケ二・9）だと、今日の私たちに警告している。

終わりの時の霊的な戦いは、モーセとアロンが、エジプトの王パロに「神の民を行かせよ」（出エジプト七・1〜12参照）と要求した時に起こったことと似ている。

パロは「神からの命令だと証明するために、お前はどんなしるしを見せるのか」と応じた。アロンがモーセの杖を投げると、杖は一匹の蛇に変わった。しかし、それでは足りなかった。パロは「ちょっと待て。私の魔術師も同じことができるぞ」と言う。魔術師たちが杖を投げると、それも蛇に変わった。この超自然的なしるしは、サタンの力だ。話はここで終わらない。アロンの蛇が魔術師の二匹の蛇を飲み込んでしまう。私は次の光景を思い浮かべて愉快な気分になる。ふたりの魔術師は何も持たずに退場するが、アロンは、来た時よりも重く太くなった杖を携えて出て行く。

心しよう。終わりの日々に私たちが直面する戦いも同じようなものだ。神学や教理の問題ではない。誰が神の力を持つかが問われる。約二千年前にそう予告されている。

知性や考えが「腐った」という表現を、ヤンネやヤンブレのようになるという意味でパウロは使っている。ここで腐ること、腐敗について考えてみよう。

腐敗にはふたつの原則がある。ひとつ目は、すべての腐敗は進行するということだ。美しいひとつの桃を想像してほしい。テーブルの上に置いたままにしておくと、日が経つにつれ皮にしわができて黄色っぽくなり、やがて臭うようになる。冷蔵庫に入れれば、腐敗のスピードを遅らせることはできるが、止めることはできない。腐敗のふたつ目の原則は、元に戻せないということだ。腐った桃は、どんなことをしても元の新鮮な桃には戻らない。腐敗は進行する、そして、元に戻すことはできない 。これが、ふたつ目の原則だ。

パウロは「**悪人や詐欺師たちは、だましたり、だまされたりしながら、ますます悪に落ちて行く**」(Ⅱテモテ三・13)と言っている。

「悪人や詐欺師たち」と訳されているギリシャ語 goēs は、まじないを唱えたり、泣き叫んだりして魔術をかける者たちを指す。悪の罠にはまった者たちは、だましたり、だまされたりしながら、どんどん悪くなっていく。腐敗はこんなふうに進む。自分をだませるのが最高の詐欺師だ。自分の嘘を信じて人をだます。オカルトの力を信じて広げていく。

ここまで見てきて、気持ちが沈んでしまった人もいるかもしれない。しかし、神に感謝することがある。預言が成就するということは、それが悪い預言でも、聖書に書かれていることが真理だという証拠だ。また、ヤンネとヤンブレのときと同じように、だまされる者たちの愚かさは明らかにされるので、このことも神に感謝できる。

聖書を信じない理由をこう説明する人たちがいる。「僕はクリスチャンにはなりたくないね。教会は偽善者でいっぱいじゃないか」。私はこう答える。「確かにそうだ。でもね、新約聖書には、教会に偽善者が現われると書いてある。教会にいる偽善者は、聖書の正しさを証明しているわけだ。これがわかれば、聖書を信じる理由になるんじゃないかい」

悪い預言にも同じことが言える。否定的で暗いことが起こると予告されているが、それが現実に起これば、聖書が正しいことがはっきりする。暗闇が来るという預言を信じるなら、光が来るという預言も信じられる。ただし、どちらか一方、自分に都合のいい方だけを選ぶことはできない。神の言葉は一つひとつ、すべて純粋だ。

神はこう統治する

罪によって始まった人間性の腐敗に、クリスチャンは対抗しなくてはいけない。当然の義務だ。一方で、私たちは神の預言の言葉による啓示も信じる。多くの政治家たちが明るい未来を約束し、公約を掲げていることには敬意を払うが、彼らは答えを持っていない。人類が抱える問題―貧困、病気、憎しみ、戦争――これらはすべてが、ますます深刻になり、増え続けている。

もちろん、私たちは政府と指導者たちのために祈らなくてはいけない。クリスチャンの務めだ。彼らが神の計画を受け取り、それを実行できるようにと祈る。このテーマについて英語が読める方は「Shaping History through Prayer and Fasting」Derek Prince Ministries–International, © 1973, 2002 を読んでいただきたい。

しかし、人間の悪が極限に達するのを、神が許されると私は考えている。あなたが終わりの時にまだ生きていたら、人間の生来の悪が想像できないほど醜く、恐ろしい形で現われてくるのを見ることになるだろう。自分たちのリーダーを自分たちで選ぶ、自分が望む通りの選択をする、という人間のやり方を神は受け入れる。聖書は、ひとりの政治家が力を持ち「私がすべての問題を解決する」と豪語して現われると啓示している。それが反キリストだ。しかし、そのリーダーの解決策は、歴史上かつてなかったほど状況を悪化させる。

私は専制主義よりも民主主義の社会を好む。しかし、私たちが知っておくべきは、民主主義は、神の政治のやり方、治め方ではないということだ。

民主主義（デモクラシー）は、ヒューマニズム（人間中心の思想）と同じくギリシャの思想だ。この考えは、私たちの頭をだめにしている。私はギリシャ哲学を学び、聖書教師になる前はイギリスの大学で教えていたので、一家言（いっかげん）ある。

ギリシャ哲学者のプラトンは、政府の形態についてはっきりとした定義を与えている。その後、その見識を超える定義は現われていない。最善の政治形態から最悪の形態まで、プラトンの五つのリストはこうだ。君主制、貴族制、民主制、寡頭制、独裁制。

最善の政治形態は、ひとりの良い人、賢者が治める形「君主制（モナーキー）」と呼ばれる。次は、少数の良い人たち、賢者たちが治める「貴族制（アリストクラシー）」。その次が、民衆が自分たちで治める「民主制（デモクラシー）」だ。アブラハム・リンカーンは、一八六三年のゲティスバーグ演説で「人民の、人民による、人民のための政府は地上から滅びることはない」と語った。残念ながらそれは間違いだ。この形態は滅びてしまう。

次は、数人の悪い人間が治める「寡頭制（オリガーキー）」。そして最悪の政治形態が、ひとりの悪人が治める「独裁制（ティラニー）」だ。

このように、民主制はどちらかというと良い政治形態に入る。寡頭制や独裁制よりはずっと良いが、神の形ではない。神の政治形態は君主制だ。ひとりの良い人が治める。その方の名はイエスだ。私が「民主制が最終的な解決策ではない」というのは、この理由からだ。民主制には人類が持つ問題を解決する力がない。人は男性も女性も、正しいリーダーを選ぶことができない。だから、最終的には君主制になる。

ひとりのリーダー、イエスが王となる。正しい法を敷き、権限を自分の聖徒たちに委譲する。

イエスはこの聖徒たちを苦しみや困難を通して訓練し、自分と共に治める地位につける。この人々は「教会」と呼ばれるが、あまりよい翻訳ではない。ギリシャ語原語では「エクレシア」で、政（まつりごと）をするための人々の集まりを指す。あなたが教会のメンバーなら、イエスを唯一の正しいリーダーと仰ぐ政府の一員ということになる。

どんどん悪化する地球の状況を解決する方法はただひとつ、イエスを王とする神の国を地上にもたらすことだ。

新しい民

先に、腐敗は進行し、逆戻りしないことを学んだ。社会をあるべき形に回復しようとしても、人の性質を変えることができなければ、成功しないことも学んだ。では、このことについて、神に属する人々に対する神の計画はどうなっているだろう。神は古い人に継ぎを当てて修理しようとはしない。神は新しい民を創造する。

だれでもキリストのうちにあるなら（キリストに属するならNKJV）、**その人は新しく造られた者です。古いものは過ぎ去って、見よ、すべてが新しくなりました。これらのことはすべて、**

神から出ているのです。（二コリント五・17〜18）

私たちがキリストに属するものになったら、昔と変わらず同じままということはない。何かが完全に新しくされるが、それは神だけが造り出すことができる。人は修理したり改善したりすることはできる。しかし、新しく造り出す、創造することができるのは、神だけだ。人は自分を新しくすることはできない。神にやっていただく必要がある。

人が「舞台芸術を回復しよう」と話しているのを聞いたことがある。しかし、人間の性質が変わらなくても舞台芸術を回復できると考えるなら、欺かれている。神は古い腐った性質を回復させようとはしない。肉の性質は、ただ神の最後の審判を待つように定められている。神のやり方は大胆で根本的だ。新しく創造する。

すでに経験した人なら、私が何のことを言っているかわかるだろう。先に私が兵士宿舎でイエスに出会ったことを話したが、その夜、神が私にいったい何をなさったかを理解するまで、実に何ヶ月もかかった。信じられないが実際に起こった。私は新しい被造物、新しい人となった。私が完全になったという意味ではないが、「**だれでもキリストのうちにあるなら、その人は新しく造られた者**」（Ⅱコリント五・17）とあるように、全く変えられてしまった。

それまで私は、昼間の役目が終わると、パブで一杯やるのが日課だった。イギリス人が当たり前にすることだ。しかし翌日の夕方パブに行くと、足が入り口で止まって動かなくなった。しばらく私は、自分の足と交渉する羽目になったが、気がつくと酒を飲みたい気持ちが全く消えていた。酒を飲むのが悪いと言っているのではない。イエスとの出会いで、突然このことが私に起こり、全く新しい人になったのだ。

神の方法は論理的だ。古い腐敗したものに、継ぎを当てて改善しようとしない。「古い人」を教会学校や日曜学校に行かせて、黄金律を教えたりもしない。ただ、単純に死刑を宣告する。神の恵みの計画は、その刑が、イエスが十字架にかかったときに、すでに執行されたということだ。私たちの内の「古い人」はイエスにあって十字架につけられた。私たちがこの事実を知り、受け入れ、それに基づいて行動すれば結果が出る。これが神の完璧な解決法だ。恵みと愛情に満ちている。しかし、罪やサタンに対して妥協することはない。神は決して妥協しない。新しい被造物から、神は新しい民を造り出す。

次の言葉を私はよく宣言する。栄光に満ちた箇所だ。

すべての人を救う神の恵みが現われ、私たちに、不敬虔とこの世の欲を捨て、この時代にあって、慎み深く、正しく、敬虔に生活し、祝福された望み、すなわち、大いなる神であり私たちの救い主であるキリスト・イエスの栄光ある現われを待ち望むようにと教えさとしたからです。キ

リストがわたしたちのためにご自身をささげられたのは、私たちをすべての不法から贖い出し、良いわざに熱心なご自身の民を、ご自身のためにきよめるためでした。（テトス二・11～14）

先に確認したとおり、神は自分の民を歴史から救い出す。悪や悲劇や苦しみが世界を覆うのを容認しているのは、この計画があるからだ。あらかじめ神が選んだ人全員がキリストのもとに来る時まで、神は待ち続ける。

すべての部族、民族、国、言語から救われるべき人々を、神はすでに選んでいる。この人たち全員に福音を届けるまで、私たちは休むことができない。

新しい創造、これが神の解決策だ。新しい創造で造り出された新しい人たちが、イエスとともに治める王座に着く。これが私たちの崇高（すうこう）な召命だ。そのために、終わりの時の恐ろしく暴力的な日々を、私たちはくぐることになる。あらゆる苦しみ、困難、圧迫が、私たちを、王イエスとともに統治するにふさわしい人物に成長させる。

そして、神には解決策がある。イエスの来臨だ。

八章　光か闇、どちらを選ぶか

時代が終わりに近づくにつれ、世界がどのように変わっていくかを見てきた。この章では、終わりの時代のドラマが起こる背景を見ていこう。ふたつの背景が対照的な色をしている。片方は暗く沈んでいて、もう一方は明るく輝いている。

時代の終わりの舞台

時代が終わりに近づくと世界がどんな様子になるか、イザヤ六〇章に見ることができる。神の民が回復することがはっきり予告されているが、それに対する反対が起こることも描かれている。

起きよ。光を放て。あなたの光が来て、主の栄光があなたの上に輝いているからだ。見よ。やみが地をおおい、暗やみが諸国の民（異邦人たちNKJV）**をおおっている。しかし、あなたの上には主が輝き、その栄光があなたの上に現れる。国々はあなたの光のうちに歩み、王たちはあなたの輝きに照らされて歩む。**（異邦人たちはあなたの光のもとに来て、王たちはあなたの輝きが昇るところにやって来る。NKJV）

目を上げて、あたりを見よ。彼らはみな集まって、あなたのもとに来る。あなたの息子たちは遠くから来、娘たちはわきに抱かれて来る。そのとき、あなたはこれを見て、晴れやかになり、心は震えて、喜ぶ。海の富はあなたのところに移され、国々の財宝はあなたのものとなるからだ。

（イザヤ六〇・1〜5）

この美しい描写は四つの部分からなる。

最初の場面では、闇と光が同時にせめぎ合っている。闇が地を、暗やみが諸国をおおっている様子を、いま私たちは見ている。かつてなかった霊的な闇が、地上の人々の上にやって来ている。しかし、その闇のただ中で、神の民の上に主が輝き、主の栄光が現われる。この箇所は、「神がなしていることに応答せよ」という神の民へのメッセージだ。

その次は、神の民が再び集められ回復される場面だ。先に見たように、神の民である娘や息子らが、世界のあちこちからイスラエルに集められるということの事は、今起きている。また、同じことが霊的に教会でも実現している。神の栄光が戻ってきて、神の子どもたちが再び集まり始めている。

三番目は、異邦人たち、あるいは国々が神の民に答えを求めてやって来る場面だ。ここを読むたびに心が躍る。私たち神を信じる者は、問題の一部ではなくて、常に解決策の一部であるべきだ。残念ながら、現実には問題の一部となってしまうことも多い。三節で、「**異邦人**（国々）**はあなたの光のもとに来て、王たちはあなたの輝きが昇るところにやって来る**」とある。これが起こりつつあると私は見ている。世界の国の指導者たちが、自国の問題を解決できずにいる。ちょうど、エジプトの王パロが、神のしもべヨセフに頼ったように、終わりの時に、国々のリーダーが神の民のところへやって来る。神の民は神の栄光に輝き、神の知恵を与えられているので、答えを与えることができる。

四番目は、国々の資源が神の民に与えられる場面だ。「**あなたはこれを見て、晴れやかになり、心は震えて、喜ぶ。海の富はあなたのところに移され、国々の財宝はあなたのものとなるからだ。**」神から命じられた仕事をするために、その資源や富が必要だ。

その時が来て、私たちが信仰を働かせ、自分が何者なのか、神の目的が何なのかをはっきりと見るようになると、豊かな資源や富が神の民にもたらされる。

同じ時、並行してもうひとつのことが起こる。聖書の最後の書を開こう。ここに、正しい者たちが正しくない者たちから取り分けられ、妥協やどっちつかずということが許されなくなる状況が描写されている。この書はヨハネに、イエス自身が語った言葉だ。

また、彼は私に言った。「この書の預言のことばを封じてはいけない。時が近づいているからである。不正を行う者はますます不正を行い、汚れた者はますます汚れを行いなさい。正しい者はいよいよ正しいことを行い、聖徒はいよいよ聖なるものとされなさい。」

「見よ。わたしはすぐに来る。わたしはそれぞれのしわざに応じて報いるために、わたしの報いを携えて来る。」（黙示録二二・10〜12）

「**時が近づいている**」(10)、「**わたしはすぐに来る**」(12) というふたつの警告がある。それにはさまれた十一節は、正しい者たちと悪い者たちへの神の挑戦だ。「**汚れた者はますます汚れを行いなさい。**」と命じているのは驚きだ。だが、確かに主の言葉だ。

リビングバイブルはこう書いている。「**その時が来ると、不正な者はますます不正を重ね、汚れた者はますます汚れるでしょう。反対に、正しい者はますます正しい行いに励み、聖い者はますます聖くなるのです。**」(11)

プレッシャーが強くなるにつれ、私たちはふたつの大きな流れのどちらか一方に取り込まれる。「正しい（義の）流れ」と「悪の流れ」だ。流れはどんどん強くなり、やがてそこから逃れることができなくなる。正しい流れにいる者はその流れの力によって、より正しい者となる。悪と反逆の流れに入った者は、悪の力に流されていく。どちらもその傾向はどんどん強くなる。

正しい者はより正しく、悪い者はより悪く。ふたつの収穫の時が同時に熟していく。正しい者の収穫と、悪い者の収穫だ。マタイによる福音書で、イエスは、収穫とは世の終わりのことだと教えている。（マタイ十三・37〜39参照）

善と悪の溝はどんどん広がっていき、ふたつをつなぐものは無くなってしまう。一人ひとりが、自分の全存在をかけて、神と神の正しさに自分を捧げる決断をしなくてはいけない。

私たちはこう応答しよう

悪くなっていく状況やのしかかってくるプレッシャーに、私たちはどう対処したらいいだろう。三つの方法を提案したい。神の民は正しい応答の方法を知っておくべきだ。神の言葉は明らかにこう告げている。

応答一　楽観主義であれ

私たちは、目にすることすべてに、楽観主義であることが求められていると思う。ルカの福音書で、イエスは終わりの時代の傾向を描写し、説教の最後にこう言う。

「これらのことが起こり始めたなら、からだをまっすぐにし、頭を上に上げなさい。贖いが近づいたのです。」(ルカ二十一・28)

イエスは、「恐れなさい」とも「隠れ場所を探しなさい」とも言わない。逃げる方法や生き延びる方法を考えろ、とも言わない。逆に、「見上げなさい。物事は良くなる。あなたの贖いが近づいている」と励ます。神の民は、自信に満ちた態度を世界に見せることが大切だ。世の人々は驚き、神の民が持っていて自分たちが持っていないものは何か、神の民が落ち着いて、自信を持って、危機的な状況に向き合えるのはなぜか、知りたがるだろう。

楽観主義者であることは、私たちの義務だ。世界の状況を見て聖書の預言と照らし合わせる時、「コップに半分も水が入っている」と捉える。神が聖書で予告した多くのことがすでに実現しているので、残りの預言も現実になると確信できる。コップは、これから空っぽになるのでなく、水が満たされていくと知っている。

今起こっていることすべてが、世界の潮流が、聖書が信頼できる書であることを証明している。これが起こっていなかったら信頼できないかもしれないが、現実に目の前で起こっている。聖書は真理で、現代の私たちに必要なメッセージが書かれている。

応答二　真剣に関わる

私たちがとるべき二番目の態度は真剣に関わることだ。条件をつけず完全に神に関わる、すべてを神に捧げる。詩篇にこの態度が描かれている。ここで詩篇の作者は、時代が終わりに近づくときに何が起こるかを書いている。

あなたの民は、あなたの戦いの日に、聖なる飾り物を着けて、夜明け前から喜んで仕える。あなたの若者は、あなたにとっては、朝露のようだ。（詩篇一一〇・3）NIV

聖書は現実的だ。時代の終わりは「戦いの日」で「平和な日」ではないと教える。神は軍隊を持っている。神の民は、神の軍隊だ。聖書のあちこちにその描写がある。エペソ人への手紙六章は、神の武具を身につけて、悪魔との戦いに備えるように教えている。

「**あなたの戦いの日に、……喜んで仕える。**」の箇所は、ヘブライ語原語の意味を十分に伝えていない。忠実に訳すと「あなたの軍隊は、自由意志による捧げ物だ」となる。神の民が自分自身を留保なしに神に捧げている様子だ。無条件に、自分自身を神の意志に全く任せようとしている。

「神は私たちの時間、才能、財産を求めている」と言う人がある。そうではないと思う。それを差し出して神に喜ばれた、と思うのは間違いだ。神はこう言われる。「私が欲しいのはあなた自身だ！　あなたが私のものになるということは、あなたが持っているものすべてが私のものになるということだ」

この終わりの日々に、神は中途半端な関わり方には満足しない。

「私は自分自身を、何の条件もつけずに完全に神に捧げているだろうか。神の祭壇に自分を置いただろうか」と自問しよう。これが神との関わり方、神に喜ばれる態度だ。

三節には別の解釈がある。この箇所をヘブライ語から忠実に訳すとこうなる。

「聖なる威厳の飾りをつけて夜明けの胎から出、あなたの若者たちは朝露のようにあなたのもとへ来る」

私はこう確信している。終わりの時代に、イエス・キリストに完全に自分を捧げた若者たちの軍隊が現われる。彼らは聖霊に満たされ、この世の煩い、野心、プライド、欲望から解放された者たちだ。神のために聖別され、聖なる威厳の飾りをつけている。この若者たちが過去の時代の暗闇を打ち砕き、夜明けの胎から出てきた者のように、朝露のようにイエスのもとに来る。自然の中で最も美しい光景は、夜明けの草に朝露が宿り、そこに朝日が差してキラキラと輝く様子だ。これが、イエスから呼ばれ、時代の終わりの日の戦いのために、イエスの傍らに来る若者たちの姿だ。

若い読者にチャレンジを与えたい。神の軍隊の最前線には女性も男性もいる。神の働きに責任を負い、この軍隊に参加するようあなたに勧める。なぜなら、この軍隊は必ず勝利を得るからだ。

悪魔の側にいる者は敗れ去ることが決まっている。もし私がそちらにいたら、すぐにそこから逃れて、王の王であるイエスの軍に入隊する。すべての戦いに勝利する軍隊だからだ。

応答三　神の目的に自分を一致させる

正しい応答の三番目は、楽観主義と責任が伴う働きに関連している。自分を神の目的に一致させることだ。一列に並ぶように一致させる。神は地上でいくつかの目的を果たすために働いている。私たちが神と一致すれば、神の目的と同じで決して沈むことはない。「**世と世の欲は滅び去ります。しかし、神のみこころを行なう者は、いつまでもながらえます。**」（Iヨハネ二・17）

これが真理だ。この世界は一時的で、すべては過ぎ去る。不安定で、不確実で、何の保証もない。しかし、神の目的と一致した者、神の目的を実行すると心に定めた者は、永遠に残る。その人を倒すこと、打ち負かすことができるものは何もない。神は言う。「**わたしは、終わりの事を初めから告げ、まだなされていない事を昔から告げ、『わたしのはかりごとは成就し、わたしの望む事をすべて成し遂げる。**』」（イザヤ四六・10）

ヘブル人への手紙には、揺すぶられる国と揺るがない国、ふたつの王国が描かれている。

語っておられる方を拒まないように注意しなさい。なぜなら、地上においても、警告を与えた方を拒んだ彼らが処罰を免れることができなかったとすれば、まして天から語っておられる方に背を向ける私たちが、処罰を免れることができないのは当然ではありませんか。あのときは、その声が地を揺り動かしましたが、このたびは約束をもって、こう言われます。「わたしは、もう一度、地だけではなく、天も揺り動かす。」この「もう一度」ということばは、決して揺り動かされることのないものが残るために、すべての造られた、揺り動かされるものが取り除かれることを示しています。こういうわけで、私たちは揺り動かされない御国を受けているのですから、感謝しようではありませんか。こうして私たちは、慎みと恐れとをもって、神に喜ばれるように奉仕をすることができるのです。私たちの神は焼き尽くす火です。（ヘブル十二・25〜29）

この世の王国はすべて揺り動かされる。もうすでに大きく揺すぶられているが、さらにひどくなる。世界には、本当の意味での安定や保証は存在しない。揺るがされることのない王国はただひとつ、主イエス・キリストの御国だ。それは決して揺り動かされないというのは真実だ。私たちは「慎みと恐れとをもって、神に喜ばれるように奉仕をする」。「私たちの神は焼き尽くす火」だからだ。

圧倒的な勝利を納めるキリストの御国の側に参加できるのに、最終的に倒されることがわかっている敵側につくのは馬鹿げている。読者に心から勧める。決して揺るがされることのない、主イエス・キリストの王国の軍隊に入りなさい。

九章　イスラエルと教会―ふたつの契約の民

神はふたつの民と自ら契約を結んだ。このふたつの民を大切に考えている。これが聖書にはっきり書いてある。ふたつの民とは、イスラエルとイエス・キリストの教会だ。

イスラエルとは、アブラハム、イサク、ヤコブの血統を継ぐ人たちのことだ。ヤコブの名が後にイスラエルと変えられる。教会は聖霊の超自然的な働きと、神の奇跡によって刷新され、形づくられた

イスラエルとは自然の血統による人々で、教会とは霊によって新しく生まれた人々だ。どちらも「私は決してこの契約を破らない」と、神が宣言した契約によって神につながっている。自身のイスラエルとの契約を、神はこう言っている。これは一例だ。

主はこう仰せられる。「もし、上の天が測られ、下の地の基が探り出されるなら、わたしも、イスラエルのすべての子孫を、彼らの行なったすべての事のために退けよう。——主の御告げ。——」（エレミヤ三十一・37）

人が天を測ることができるようになり、地の基をすべて理解できるようにならない限り、私はイスラエルの民を捨てない。契約の民という地位から追い出すことはない。神がそう宣言している。人が天を調べれば調べるほど、その神秘は深まるばかりだ。「イスラエルは永遠に私の民だ」と神は言っている。決して彼らを捨てることはない。

では、次に、イエスが教会について言っていることを見よう。

「ではわたしもあなたに言います。あなたはペテロです。わたしはこの岩の上にわたしの教会を建てます。ハデスの門もそれには打ち勝てません。」（マタイ一六・18）

ハデスの門とは、すべての悪い霊的な力、見えない力、すなわちサタンの王国を指す。つまり、イエスは「わたしは、わたしの教会を、どんな悪の力によっても倒されない、敗北させられないものとして建てる」と言っている。イエスの教会の勝利はこのように保証されている。

ふたつの契約をもっと詳しく見ていこう。

イスラエルに対する神の計画

イスラエルへの神の召命が決して変わらないことは、聖書に何度も登場する。ここではエゼキエル書二〇章を見てみよう。

「あなたがたが、『私たちは木や石を拝んでいる異邦の民、国々の諸族のようになろう。』と言って心に思い浮かべていることは決して実現しない。」（エゼキエル二〇・32）

これは、まさにいま、起こっていることだ。近年、イスラエルの歴代政府はユダヤ人と諸外国との違いをなくそうと努力しているが、それは実現しない。神がそう言っているからだ。神が国々を造り、その民が住む地球を造った。そして、神が選んだ民イスラエルが中心にあり、その周りにすべての国々が存在するというのが神のご計画だ。

「いと高き方が、国々に、相続地を持たせ、人の子ら（すべての人類：NIV）**を、振り当てられたとき、**

イスラエルの子らの数にしたがって、国々の民の境を決められた。主の割り当て分はご自分の民であるから、ヤコブは主の相続地である。」（申命記三十二・8〜9）

神がイスラエルを中心に据え、その周りに他の国々を置いたという事実を、受け入れたくない気持ちが私たちにはある。自国のプライドや差別意識があるからだ。しかし、これは聖書に書いてあることだ。イスラエルが自分の相続地を割り当てられ、それに関連して、ほかの国々はその相続地を与えられている。すべての国の相続分、良いものや祝福は、究極的にはイスラエルを中心にして、その周りを回っている。イスラエルが正しく自分の場所に陣取らないと、周りのすべての国が混乱をきたす。

シャツを着るとき、間違って一番上のボタンを二番目の穴に通したらどうなるだろう。すべてのボタンが間違った穴に留まってしまう。最後のボタンを留めようとして、おかしいと気づくことになる。

イスラエルは一番目上のボタンだから、最初の穴に正しく留められる必要がある。これを間違うと、すべての国は、何かおかしなことになり、不都合なことが起こる。すべてはイスラエルから始まるからだ。イスラエルの回復が自国の利益になることを、すべての国が理解する必要がある。すべての国の良いものは、イスラエルの運命にかかっている。

荒廃の後の回復

神がどのようにイスラエルを回復するかということは、神自身が聖書の多くの箇所で語っている。その予告が正確に成就してきたことを、そして今、私たちの目の前で成就しているという事実をいくつか見ていこう。

それゆえ、今、イスラエルの神、主は…こう仰せられる。「見よ。わたしは、わたしの怒りと、憤りと、激怒とをもって散らしたすべての国々から彼ら（イスラエル）を集め、この所に帰らせ、安らかに住まわせる。彼らはわたしの民となり、わたしは彼らの神となる。わたしは、いつもわたしを恐れさせるため、彼らと彼らの後の子らの幸福のために、彼らに一つの心と一つの道を与え、わたしが彼らから離れず、彼らを幸福にするために、彼らととこしえの契約を結ぶ。わたしは、彼らがわたしから去らないようにわたしに対する恐れを彼らの心に与える。わたしは彼らを幸福にして、彼らをわたしの喜びとし、真実をもって、心を尽くし思いを尽くして、彼らをこの地（イスラエル）に植えよう。」まことに、主はこう仰せられる。「わたしがこの大きなわざわいをみな、この民にもたらしたように、わたしが彼らに語っている幸福もみな、わたしが彼らにもたらす」（エレミヤ三十二・36～43 括弧内著者による）

神が自分の心を尽くし、思いを尽くして何かを植えたら、何者もそれを引き抜くことはできない。ここに、ふたつのことが並行して書いてある。

ひとつ目。神は、聖書で予告した通りに、イスラエルにすべての裁きを下した。破壊、苦悩、国外追放。あらゆる苦しみを、イスラエルは約二千年に渡って経験してきた。歴史に多くの事実を見ることができる。

ふたつ目は、イスラエルを回復し繁栄を与えるという神の約束だ。これも必ず現実となる。ふたつのうちのひとつだけを「霊的」に捉えることはできない。歴史の中で、イスラエルの裁きが現実に起こり、預言が文字通りに成就したのだから、回復と繁栄も歴史の中で必ず起こり、現実となる。

「わたしは彼らを変える。彼らに啓示を与え、彼らはわたしの計画を喜んで行ない、わたしの教え（法）を守るようになる。わたしは彼らを祝福する。わたしは彼らに良いことをするのをやめない」と神が言っている。

イスラエルの回復は、まず政治的に実現し、最終的には霊的に実現することを理解しなくてはいけない。エレミヤ書で神はこう言っている。

「わたしはユダの捕われ人と、イスラエルの捕われ人を帰し、初めのように彼らを建て直す。わたしは、彼らがわたしに犯したすべての咎から彼らをきよめ、彼らがわたしに犯し、わたしにそ

むいたすべての咎を赦す。」（エレミヤ三十三・7〜8）

順序に注意を払ってほしい。まず「彼らを彼らの地に連れ戻す」と神は言っている。次に「彼らを再び建てる」。そして三番目「彼らをきよめて赦す」。クライマックスは霊的な回復だ。これが究極の目的だが、最初に起こることではない。私たちは今、この預言の最初の部分が実現しているのを見ている。二番目と三番目がやがて必ず起こる。

次に、イスラエルの回復を預言しているエゼキエル書の三六章を見よう。

「**それゆえ、イスラエルの家に言え。神である主はこう仰せられる。イスラエルの家よ。わたしが事を行なうのは、あなたがたのためではなく、あなたがたが行った諸国の民の間であなたがたが汚した、わたしの聖なる名のためである。**」（エゼキエル三六・22）

イスラエルは神の祝福やあわれみを受けるに値しない、と認識しよう。そして、教会も同じように神の祝福に値しない、と強調しておく。イスラエルも教会も、どちらも無条件の神の恵みによって存在している。受けるに値しない恵みを受けている。神は言う。

「わたしは、諸国の民の間で汚され、あなたがたが彼らの間で汚したわたしの偉大な名の聖なることを示す。わたしが彼らの目の前であなたがたのうちにわたしの聖なることを示すとき、諸国の民は、わたしが主であることを知ろう。」（エゼキエル三六・23）

神はさらに続ける。

「わたしはあなたがたを諸国の民の間から連れ出し、すべての国々から集め、あなたがたの地に連れて行く。わたしがきよい水をあなたがたの上に振りかけるそのとき、あなたがたはすべての汚れからきよめられる。わたしはすべての偶像の汚れからあなたがたをきよめ、あなたがたに新しい心を与え、あなたがたのうちに新しい霊を授ける。わたしはあなたがたのからだから石の心を取り除き、あなたがたに肉の心を与える。」（24〜26）

私には個人的にたくさんのユダヤ人の友人がいるが、神は、彼らから石の心を取り除き、神の言葉と神の霊に応答することができる肉の心を、いま与えておられる。間もなく、神の民イスラエルが霊的に刷新される劇的な変化を、私たちは見ることになるだろう。そして神は言う。

「わたしの霊をあなたがたのうちに授け、わたしのおきてに従って歩ませ、わたしの定めを守り行なわせる。あなたがたは、わたしがあなたがたの先祖に与えた地に住み、あなたがたはわたしの民となり、わたしはあなたがたの神となる。」（27〜28）

神がユダヤ人の内に聖霊を授けるので、彼らは神の教えに従うようになる、とある。ユダヤ人も異邦人も、聖霊なしで神に従うことはできない。聖霊の力によって初めて、人は神に従うことができる。この箇所はまた、神が自分の民との契約を忠実に守る方だということ、聖書が正確だということを証明している。神が語ったことが今、目の前で実現しているのを私たちは目撃している。

世界の注目を集めるイスラエル

神がイスラエルを再び集める時は、何世紀も前に与えられた預言が現実になるというしるしだ。イザヤ書の言葉を見てみよう。

その日、主は再び御手を伸ばし、ご自分の民の残りを買い取られる。残っている者を、アッ

シリア、エジプト、パテロス、クシュ、エラム、シヌアル、ハマテ、海の島々から買い取られる。（イザヤ十一・11）

この国々はどこだろう。アッシリアは現在のイラク、エジプトはエジプトだ。パテロスはエジプトの北部、クシュはおそらくエチオピア、エラムはペルシャかイランだ。シヌアルはイラクとイランの間。ハマテはシリアだ。海の島々は、それ以外のすべての大陸や地域を指すのではないだろうか。これらすべての地から、ユダヤの民が戻ってくる。預言者は続ける。「**主は、国々のために（ひとつの）旗を揚げ、イスラエルの散らされた者を取り集め、ユダの追い散らされた者を地の四隅から集められる。**」（12　括弧内著者による）

ユダは、先に見たようにユダヤの元になった言葉だ。神は、イスラエルを集めてイスラエルの地に連れ戻す時、国々のために一竿（さお）の旗を掲げる。「時が来た」ことを告げる旗だ。終わりの時についてのすべての預言が、このことを語っている。神が選んだ民イスラエルが、自分の地に国家として存在するようになるということを。イスラエルが国として回復するまで、これらの預言は成就していなかった。

しかし今、舞台は整えられた。さらに見ていこう。聖書には、民が再び集められるプロセスがはっきりと書いてある。

「それゆえ、見よ、その日が来る。――主の御告げ。――その日にはもはや、『イスラエルの子らをエジプトの国から上らせた主は生きておられる。』とは言わないで、ただ『イスラエルの子らを北の国（ロシアやヨーロッパ）や、彼らの散らされたすべての地方から上らせた主は生きておられる。』と言うようになる。わたしは彼らの先祖に与えた彼らの土地に彼らを帰らせる。」（エレミヤ一六・14～15括弧内著者による）

まことに主はこう仰せられる。「ヤコブのために喜び歌え。国々のかしらのために（国々の指導者たちのただ中でNASB）叫べ。告げ知らせ、賛美して、言え。『主よ。あなたの民を救ってください。イスラエルの残りの者を。』見よ。わたしは彼らを北の国から連れ出し、地の果てから彼らを集める。その中には目の見えない者も足のなえた者も、妊婦も産婦も共にいる。彼らは大集団をなして、ここに帰る。」（エレミヤ三十一・7～8）

国々の指導者たちのただ中でこれを宣言せよ、と主が命じている。すべての国に対して、イスラエルが再び集められることを宣言せよと、自分の使者に命じている。

諸国の民よ。主のことばを聞け。遠くの島々（大陸）**に告げ知らせて言え。「イスラエルを散らした者がこれを集め、牧者が群れを飼うように、これを守る」と。主はヤコブを贖い、ヤコブより強い者の手から、これを買い戻されたからだ。**（エレミヤ三十一・10〜11 括弧内著者による）

このことは静かにひっそりとは行なわれない。神は全世界の注目を集めるように、これを成す。わずか人口六〇〇万人（九八年当時。二〇二〇年は約八七〇万人）の国が、毎日のように世界のニュースで取り上げられるのは、不思議なことだ。

もっと大きな国で起こった事件が報道されないこともあるが、イスラエルに関するニュースは途切れることがない。神が、自分がイスラエルで何をしているか注目させるために、全世界の関心を引いているからだ。

世界に対する、すべての国に対する神のメッセージは、イスラエルを散らした神が、再び彼らを集めるということだ。聖書で予告された離散が歴史の中で実現したように、聖書で予告された再集も、歴史の同じ地で、すべての国の目の前で実現する。

警告と約束

イスラエルがすべての中心であることを理解するために、アブラハムに対する元々の約束を見てみよう。神がアブラハムをカルデヤ人のウルの地から別の場所に導こうと、呼びかけた場面だ。アブラハムは後に、その地を相続地として受け取ることになる。

「わたしはあなたを大いなる国民とし、あなたを祝福し、あなたの名を大いなるものとしよう。あなたの名は祝福となる。あなたを祝福する者をわたしは祝福し、あなたをのろう者をわたしはのろう。地上のすべての民族は、あなたによって祝福される。」（創世記十二・2〜3）

七つの約束が語られている。

一．あなたを大いなる国民とする。
二、あなたを祝福する。
三．あなたの名を大いなるものとする。
四．あなたの名は祝福となる。
五．あなたを祝福する者を主が祝福する。
六．あなたを呪う者を主が呪う。
七．すべての民はあなたによって祝福される。

五番目と六番目の約束が、特に大切だ。「あなたを祝福する者をわたし（神）は祝福する」「あなたを呪う者は誰であれ、わたし（神）が呪う」とある。九章で見たように、すべの国々の運命は、アブラハムとその子孫たちに対する態度によって定められる。

イエスがユダヤ人であることを、今一度思い出そう。ユダヤ民族は神に反抗し、いったん神から拒絶されたが、今なおイエスの兄弟だ。羊とヤギが分けられ、羊は受け入れられてヤギが放り出される話をした。分けるものさしは、ユダヤ人をどう取り扱ったかだ。ユダヤ人を祝福する者は祝福され、ユダヤ人を呪う者は呪われる。

聖書はこのことを何回も警告している。神がイスラエルに対して持っている計画と、国々がどう関わるか——つまりユダヤ人、イスラエルの地、エルサレムの町——について、神の警告をふたつ見てみよう。

シオンを憎む者はみな、恥を受けて、退け。（詩篇一二九・5）

シオンの再興という神の目的に反対する国はどんな国であれ、恥を見て逃げ出すことになる。これは永遠に続く神の言葉だ。その国に豊富な石油があっても、強力な武器を持っていても、強大な政治力を持っていても関係ない。

イザヤ書六〇章の、シオンと神の民の回復の約束の中で、神はこう警告している。

あなたに仕えない国民や王国は滅び、これらの国々は荒廃する。（イザヤ六〇・12）

次に、肯定的な約束を見よう。エルサレム、イスラエル、神の民に対する神の計画と一致する者への約束と祝福は美しい。

エルサレムの平和のために祈れ。おまえを愛する人々が栄えるように。（詩篇一二二・6）

エルサレムを思い、祈る者のために「おまえを愛する人々は栄える」という約束がある。栄えると訳されているヘブライ語原語 Shalah は、経済的な繁栄を意味しない。悩みがなく、休らぎがあり、平和があるということだ。世界が荒廃していく中にあっても、神の民の回復という神の目的に自分を一致させる者には、内なる休息と平安が与えられる。

自分の立ち位置を決めず「さて、何が起こるか見ていよう」という態度を取るわけにはいかない。神が語った言葉、歴史の中で神がなしていることと、自分を一致させよう。まずできることは祈りだ。エルサレムの平和のために祈ろう。エルサレムについてのすべての神の計画が、実現するように祈ろう。

教会に対する神の計画

次に、教会に目を向けよう。教会の中で、また教会を通して、一九六〇年代から聖霊の働きが大きく増している。このことも聖書に書いてある。使徒ペテロが、ペンテコステの日に語った言葉を見てみよう。

この日、エルサレムで祈って待ち望んでいた弟子たちの上に、初めて聖霊が下った。その結果、超自然的な現象が起こり、そこに集まっていた人々の反応は様々だった。使徒も弟子たちも酔払っている、とあざ笑う者たちもいた。それに対してペテロはこう答えている。

「今は朝の九時ですから、あなたがたの思っているようにこの人たちは酔っているのではありません。これは、預言者ヨエルによって語られた事です。『神は言われる。終わりの日に、わたしの霊をすべての人に注ぐ。すると、あなたがたの息子や娘は預言し、青年は幻を見、老人は夢を見る。その日、わたしのしもべにも、はしためにも、わたしの霊を注ぐ。すると、彼らは預言する。』」（使徒二・15〜18）

「終わりの日に」という言葉が出てくる。原語では「終わりの日々」と複数形だ。神は「この時代が終わりに近づくとき、わたしの霊をすべての人に注ぐ」と語っている。すべての人と訳されている元の言葉は「すべての肉」つまり、すべての人種にという意味だ。神の民の中に劇的で超自然的なことが起こる。人々は預言し、幻を見、夢を見る。

ペテロが引用した元の箇所、ヨエル書を見てみよう。二章の二十三節と二八節をつなげると、この預言の光景がさらによく見える。

シオンの子ら（神の民）**よ。あなたがたの神、主にあって、楽しみ喜べ。主は、あなたがたを義とするために、初めの雨を賜わり、大雨を降らせ、前のように、初めの雨と後の雨とを降らせてくださるからだ。…　その後、わたしは、わたしの霊をすべての人**（すべての肉）**に注ぐ。あなたがたの息子や娘は預言し、年寄りは夢を見、若い男は幻を見る。**（と神が言う）

（ヨエル二・23, 28　括弧内は著者による）

「わたしはわたしの霊を注ぐ」と神は言っているが、その前に、地に雨を降らせると約束している。雨という自然現象で、聖霊を注ぐという霊的現象を予め示している。詳しく見てみよう。二十三節で、神は雨を大きくふたつに分類している。初めの雨と後の雨だ。

ふたつの雨、自然界と霊の世界

私はイスラエルで何年も暮らしたので、この描写はよくわかる。この地の気候を理解すると、聖書の言葉の意味がさらにはっきりとしてくるはずだ。

イスラエルは、大きくふたつの季節からなる。「夏」と「冬」だ。「秋」と呼べる時期はほとんどなく、「春」はとても短い。夏は、ほとんど雨が降らず乾燥している。これは、年によって前後するが、だいたい四月から十一月まで続く。文字どおり一度も雨が降らない夏があった。十月のある夜、耳慣れない音で目が覚め、窓から外を見ると雨だった。ずっと雨の音を聞いていなかったので、すぐには雨だと気がつかなかったのだ。

乾燥した季節が終わると、冬が来る。冬の初めに降る雨を、聖書は「初めの雨」と呼んでいる。冬の始まりのしるしは、イスラエル全体に大雨が降ることだ。そして冬の間、何度か雨が降る。あちらで少し、こちらで少しという感じで、国全体に大雨が降ることはない。しかし、冬の終わりになると、今度は「後の雨」が降る。一年で最も強い雨で、先の雨と同じようにイスラエル全土に降る。

それから、雨が降らない夏がイスラエルに訪れる。「初めの雨」が冬の初めに降り、冬の間は何度か雨が降る。そして冬の最後に、一年で最もたくさんの雨が「後の雨」として国全体に降る。この自然界の様子が、聖霊によって教会のために再現される。私たちは、この雨の注ぎ、聖霊の注ぎをもって、神が教会を訪れる予兆をすでに見ている。

一九〇〇年にわたる教会の歴史は、このことを裏付けている。初めの雨は、イエスの弟子たちの時代、ペンテコステの日に、エルサレムの初代教会の上に降った。おそらく百年ほど続いただろう。当時。教会の働きは宗教的なものに限定されず、その地域のすべての分野に影響を与えた。聖霊の超自然的な訪れを、信徒たちは日常的に体験していた。

その後、たとえて言うと、教会の歴史に冬の季節が訪れた。聖霊の働きはもう同じようには現われなかった。あちこちで聖霊の働きを見ることはできたが、教会全体に影響を与えるような聖霊の注ぎは起こらなかった。しかし、時が過ぎ、後の雨がやってくる時期に差しかかってきた。最後にして最大の、聖霊が全世界的に注がれるということが起こる。個人的に、それが一九〇〇年前後に起こり始め、今日も聖霊が注がれ続けていると信じている。

私は、南極以外の世界の大陸を、神の働きのために旅行するという特権に授かっている。多くの国で、さまざまな教派の、さまざまな教義を持つクリスチャンの間で、これが起こっているのをこの目で見ている。今、後の雨が世界中の教会に降っていると感じている。神が教会を訪れ、超自然的な力が回復され、聖書の預言が成就している。自分が今、後の雨の時代を生きていることを理解しよう。これがわかると、次に何が起こるか、正しい理解を持つことができる。

聖霊が注がれる

私がケニアで五年間、現地の教師を訓練する仕事をしたときの経験だ。私の第一の目的は、自分の生徒たちをイエス・キリストの福音と、聖書の真理に導くことだった。初めの頃、彼らが聖書を、自分たちアフリカ人のための書物として受け入れ難く感じていることに、気がついた。そこで、チャレンジを与えてこう言った。「君たちに無理矢理信じさせるつもりはない。聖書が本当に神から与えられたものかどうか、知る方法がひとつだけある。自分自身が、神の超自然的な力を体験することだ。そうしたら、この本がイギリスやアメリカからではなく、神から来たことがわかるはずだ」

そして、彼らのために祈り続けた。約六ヶ月後、学校の約一二〇人の生徒の上に、聖霊が超自然的に訪れた。使徒の働きに記されているのと同じようなことが起こった。ある日、彼らを呼び集めてこう言った。「君たちは、自分の目と耳で、現実に聖霊が注がれるのを見て聞く体験をした。

これは、聖書に後の雨として書いてある預言の成就だ。今、福音がアメリカやイギリスからではなく、神からもたらされたことがわかったはずだ」と、そして続けた。「これは君たち、東アフリカの若者たちに対する神の証だ。今が冬の終わりだ。もうすぐ夏が来る。神が夏になさることは収穫だ。たくさんの魂を刈り入れて、神の王国に導き入れる最後の時が来る」。

これは、後の雨のしるしのひとつの例に過ぎない。聖霊の注ぎは今日、イエス・キリストの教会の上に実現している。

神の目的は、回復させること

イスラエルについても、教会についても、神が働いておられる目的はひとつだ。それぞれに違った方法で働いておられるが、目的は同じ。回復することだ。このことは使徒の働き三章で見られる。ペテロはユダヤ人たちにこう言う。

そういうわけですから、あなたがたの罪をぬぐい去っていただくために、悔い改めて、神に立ち返りなさい。それは、主の御前から回復の時が来て、あなたがたのためにメシヤと定められたイエスを、主が遣わしてくださるためなのです。このイエスは、神が昔から、聖なる預言者

たちの口を通してたびたび語られた、あの万物の改まる（回復するNKJV）**時まで、天にとどまっていなければなりません。**（使徒三・19〜21）

終わりの日々に関連して、一連の四つのことが提示されている。四つのことは、英語ではすべて「re」で始まる言葉、Repent（悔い改め）、Refresh（新たにされる）、Restore（回復）、Return（再臨）で表わされる。

まず、悔い改め。神はご自分の民に悔い改めよ、と呼びかけている。悔い改めた人は神の目的の中に入り、神の目的と一致することができる。しかし、強情なまま、反抗的で降参しないなら、神の目的と一致することはできない。

二番目は、新たにされる。神はこう言う。「あなたたちが私の民なら、悔い改めなさい。そうすれば、新たにされる時が来る」

三番目が、回復。新たにされたら、すべてのことが回復される時に私たちを導き入れる、と神は語る。すべてが本来の正しい位置と正しい状態に戻る。特に、神の民が回復されるということだ。この回復は大切なことなので、神はご自分の預言者たちを通じて、昔から何度も語ってきた。これは、すべての預言の共通テーマだ。

四番目が、再臨。すべてが回復するまで、イエスが天にとどまっているとは、言いかえると、すべてが回復したら天から来られるということだ。イエス・キリストが天から戻ってくるのを、私たちは見ることになる。

終わりの日々に備えるため、四つの言葉を胸に刻み付けよう。

Repentance（リペンタンス）　悔い改め
Refreshing（リフレッシング）　新たにされる
Restoration（レストレーション）　回復される
Return（リターン） of Jesus Christ　イエスキリストが戻ってくる

回復の時の最高潮は、人々が回復されることだ。物事の回復ではない。人々とは、神の民、神が決して破ることのない契約を結んだふたつの民、イスラエルとイエス・キリストの教会だ。この約束が、神の計画を理解する鍵だ。現実の世界を見る時、私たちは混乱し、失望し、落胆してしまうかもしれない。しかし、その表面的な出来事の下の層を見ると、そこに確かに神の目的が流れていることを見ることができる。その流れは強く、誰も変えることができない。神の目的は間もなく成就しようとしている。

聖書の次の箇所も回復について語っている。私はこの箇所が大好きだ。この描写は、近年ますますリアルになった。神が自分の民にこう言っている。「**わたしがあなたがたの間に送った**（いなごの）**大軍勢が、食い尽くした年々を、わたしはあなたがたに償おう。**」（ヨエル二・25）なんという祝福だろう。この意味を本当に理解することができるだろうか。神はこう言っている。「私はあなたの財産を食い尽くした虫どもを追い出す。そして追い出すだけではなく、その虫が食べた分をことごとくあなたに返そう」

しばらく前に、私のミニストリーでこんなことが起こった。一人の女性が祈りのために私の前に連れて来られた。左腕と左脚が麻痺していた。唇の左側も麻痺でねじれていて、どうやっても微笑むことができなかった。私は彼女と一緒に祈ってから、一歩退いた。そして約一〇分の間、神が奇跡を起こすのを見ていた。

一〇分後、彼女は左腕と左脚を動かせるようになっていた。顔はまっすぐに整い、輝くような笑顔で微笑むことができた。その様子を見ていた私たちは、神がなさったわざに感動していた。女性を連れて来た友人がこう言った。「あなた、一〇分前より一〇歳も若く見えるわ！」

ああ、これが回復だ！　と、その時思った。一〇分で一〇年分を取り戻させてくれる。

ヨエル書の神の約束の全体の素晴らしさ、偉大さを理解してほしい。神はこの終わりの日々に、ご自分の民にこう語っている。「いなごが食い尽くしたすべてのものを、わたしはあなたに回復しよう。いなごを追い払うだけではない。あなたをわたしの元に返すだけではない。あなたが持つべきものをすべて持つようにしよう。わたしがあなたのために用意した祝福と備えのすべてを与えよう」

回復はイスラエルに与えられ、そして教会に与えられる。神の民が回復されるという神の約束だ。混乱と当惑のただ中で大切なことは、自分が神の民の一人であると確信し続けることだ。神の恵みに満ちた目的、神の知恵、神の全能の力は、このように相互に働いて、神の民が神の望む存在になるようにと導いている。それによって、神の名に栄光が帰され、地球上の国々が驚く。神はご自分の民に、なんという素晴らしいことをなさったのかと驚愕（きょうがく）するのだ。

一〇章　起きよ、そして勝利へ！

宣言

しかし、神に感謝すべきです。神は、私たちの主イエス・キリストによって、私たちに勝利を与えてくださいました。ですから、私の愛する兄弟たちよ。堅く立って、動かされることなく、いつも主のわざに励みなさい。あなたがたは自分たちの労苦が、主にあってむだでないことを知っているのですから。（Ⅰコリント一五・57〜58）

この言葉を宣言するのに、全身の力を振り絞らなくてはいけない状況を、私は何度か体験してきた。プレッシャーが大きく、とても勝利できるとは思えず、この言葉を口から出すのに、霊的な力をすべて使わなくてはいけなかった。それでも、これは真実だ。神の言葉だからだ。私たちは、なんとか人生をやりすごし、やっとのことで生き抜くのではない。勝利の中を生きていきたい。勝利への道のりで、何が私たちを待ち受けているか見ていこう。

先にマタイ二四章で、「産みの苦しみの始まり」について見た。九節から十二節を見てみよう。勝利を収めるために、私たちが何を通らなくてはいけないかを語っている。

「そのとき、人々は、あなたがたを苦しいめに会わせ、殺します。また、わたしの名のためにあなたがたはすべての国の人々に憎まれます。また、そのときは、人々が大ぜいつまずき、互いに裏切り、憎み合います。また、にせ預言者が多く起こって、多くの人々を惑わします。不法がはびこるので、多くの人たちの愛は冷たくなります。」（マタイ二四・9〜12）

パウロがテモテに宛てた手紙には「終わりの日には、恐ろしく暴力的な時が来る」とあった。それは人が、**「自分を愛する者、金を愛する者、大言壮語する者、不遜な者、神をけがす者、両親に従わない者、感謝することを知らない者、汚れた者になり、情け知らずの者、和解しない者、そしる者、節制のない者、粗暴な者、善を好まない者になり、裏切る者、向こう見ずな者、慢心**

する者、神よりも快楽を愛する者になり、見えるところは敬虔であっても、その実を否定する者になるから」（Ⅱテモテ三・2〜5）だった。

パウロはこうも言っている。**「あなた**（主）**のために、私たちは一日中、死に定められている。私たちは、ほふられる羊とみなされた。」**（ローマ八・36括弧内著者による）

一日中死に定められ、ほふられる羊とは誰のことだろう。神を信じる者、私たちだ。ただ、この描写は一部に過ぎない。パウロはこう約束している。**「しかし、私たちは、私たちを愛してくださった方によって、これらすべてのことの中にあっても、圧倒的な勝利者となるのです。」**（ローマ八・37）

「圧倒的な勝利者とはどんな人ですか」と主に尋ねた時、こう答えてくださったと感じた。「試練の中に投げ入れられた時、そこに入った時以上のものを得て出て来ることだ。その人は勝利を収めるだけでなく、戦利品を携えて出てくる」。これが神の基準だ。

圧倒的な勝利者になる

勝利の人生を送り、この言葉が実現するのを見るには、どうしたらいいだろう。

世をも、世にあるものをも、愛してはなりません。もしだれでも世を愛しているなら、その人のうちに御父を愛する愛はありません。すべての世にあるもの、すなわち、肉の欲、目の欲、暮らし向きの自慢などは、御父から出たものではなく、この世から出たものだからです。（Ｉヨハネ二・15〜16）

ここに、ふたつの相容れない愛が描かれている。父なる神への愛とこの世への愛は、水と油のように決して混じり合わない。私たちは、どちらか一方しか持つことができない。

ヨハネは「世」という言葉を、他の福音書の作者より多く使っている。「世」とは何だろう。私はこう定義したい。「神が任命した王、イエス・キリストの正しい統治の下にいない者たち」。そこには実に良い人たちもいる。しかし、「あなたはイエス・キリストの統治に、完全に従いますか」と質問したら、すぐに、どういう人たちかはっきりわかる。確かに良い人たちだ。この一番大切な点を除いては。**「世と世の欲は滅び去ります。しかし、神のみこころを行なう者は、いつまでもながらえます。」**（Ｉヨハネ二・17）

この世の人々が必死で手に入れようとしているものは、すべて過ぎ去る。永遠のものではないからだ。しかし、私たちには勝利の鍵がある。神のみこころを行なう者は永遠に残る。

神の意思と一致すれば、私たちは神の計画そのものと同じように力強く、決して敗北しない者となる。これが、勝利を収め、戦利品を携えて出てくるための唯一の鍵だ。

イエスのガイドライン

ここで聖書から、今の時代のための最終的な三つの教えを挙げよう。イエスが今、地上でしていることのガイドラインだ。終わりの時代を生きる私たちが、いまどこにいるのかを理解するのに欠かせない。

一．神の王国（御国）を地上にもたらす
二．福音をすべての国々、民族、部族、国語に宣言する
三．神ご自身の特別な民を王国（御国）に備えさせる

指示一　地上で神の王国（御国）を宣言する

この時代、地上における神の目的についての最高の宣言は、主の祈りの中にある。その中で最初の二節が重要だ。祈りは、「**天にいます私たちの父よ。**」（マタイ六・9）という呼びかけで始

まる。

かつて、中央ヨーロッパのハンガリー、チェコスロバキア（当時）、ドイツなどで主の祈りについてメッセージをした時のことだ。どの国でも、その後に続く祈り「神のご計画（みこころ）」について語ろうとするたび、そこに至る前にここで心を打たれた。「父よ」そして、こう語らずにはいられなかった。

「みなさん、自分に父が、お父さんがいることを知っていますか。あなたは見捨てられてない。自分で自分の面倒を見なくてもいい。あなたは価値のない存在なんかじゃない。イエスを信じているなら、あなたは世界で最も素晴らしい家族の一員です。失望することはありません。人より劣っていると感じる必要は全くありません。それでも、もし拒絶されているとか、必要とされていない、二流の存在だと感じることがあったら、このことを思い出してください。神の子どもたちの中に、二流の存在なんていません。私たちは天のお父さんに受け入れられています。天の家族の一員で、お父さんに愛されているのです。お父さんはあなたの名前を知っています。あなたのために最善の計画を持っています」。会場では多くの人たちが涙していた。

父への呼びかけの後、祈りはこう続く。ここが最も重要な箇所だ。

「御国が来ますように。みこころが天で行なわれるように地でも行なわれますように。」（マタイ六・10）

神と神の民に対するガイドラインの一番目は、神の王国（御国）が地上に来るように、神の計画（みこころ）が地上で実行されるよう求めることだ。これが、すべての必要やすべての状況に優先する。イエスは、神の王国を地上にもたらすために地上に来た。私たちはイエスの弟子として、神の民として、イエスの働きを手伝うために地上にいる。だから、人生の一番の目標はこれだ。収入を得ること、食べること、家族を養うことよりもこれを優先する。これが神のリストの一番上にある。神と調和して生きたいと思うなら、私たちのリストの一番目も神のものと同じになる。「**神の国とその義とをまず第一に求めなさい。そうすれば、それに加えて、これらのもの**（日々を生きるのに必要なもの）**はすべて与えられます。**」（マタイ六・33　括弧内は著者による）とイエスは言った。

人生で弱さを感じ、神の期待から逸れてしまったと感じたことが私には何度かある。それでも人生を通してずっと、神の王国と神の義を求めることを第一としてきた。そして、神は私に必要なものを与え続けてくれた。自分に必要なことを追い求めなくていい。私たちがすべきことは、神の王国に全力で真剣に取り組むことだ。

神の目的と自分を一致させたら、神があなたの人生に責任を持ってくださる。「私があなたのために必要なものを備えよう。私が扉を開けよう」と神が言ってくれる。

自分で自分の計画を立てるより、神に計画を立ててもらう方がはるかにいい。しかし、私たちが無責任になっていい、祈らなくていいという意味ではない。神の思いは私たちの思いよりもはるかに高い。人が自分でどんなに高い計画を立てても、神の計画よりもはるかに低いと知っておこう。

神の王国（御国）の福音とは何か

マタイ一〇章で、イエスは十二人の使徒を初めて送り出す時、こういう指示を出した。「**行って、『天の御国が近づいた**（すぐそこにあるNKJV）』**と宣べ伝えなさい。**」（マタイ一〇・7）

これが福音だ。ところが今日あまり語られていない。聖書を調べても、使徒たちが「癒しの集会」を開いた記録はない。「聖霊のバプテスマを求める人のための集会」も開いていない。シンプルに、「天の王国はすぐそこにある。あなたが望んで条件を満たせば、そこに入ることができる」と宣べ伝えた。癒しのために祈ることを否定しているのではない。私自身、癒しの集会を何回も開いてきた。しかし、使徒たちのやり方はそうではなかったと気づいた。彼らの手法はこうだ。「王国がある。あなたも条件を満たせば入ることができるよ。だが、条件を満たさなければ、そこに入ることはできないよ」

何度も見たように、マタイ二四章一四節で、「**この御国の福音は全世界に宣べ伝えられ**」とある。

「あなたの罪が赦される」「あなたは癒される」「あなたは異言を語る」という福音ではなく、「御国（王国）の福音」だ。このメッセージは変わらない。こう始められ、最後までこう伝えられる。福音とは、王国と王についてのメッセージなのだ。

世界中を騒がす

使徒たちがこの福音を語った時、テサロニケの人々はどんな反応をしたか見てみよう。いつものように、パウロが語り始めると、反対者の抗議が始まった。パウロが行くところはどこでも、暴動かリバイバルかのどちらかが起こった。両方同時に起こることもあった。以前、東アフリカで宣教チームと一緒になったことがある。新しい場所で教会を開くことを計画していて、一人がこう言った。「村人を怒らせるか、喜ばせるかやってやろう。どっちになっても、僕らがここに来たことが知れ渡る」。確かに、最悪なのは無視されることだ。

パウロとシラスがテサロニケに着くと、すぐに暴動が起こった。人々はパウロを捕まえようとしたが、パウロの弟子がそれに気づき、パウロをその場に行かせなかった。

「**しかし、見つからないので、ヤソンと兄弟たちの幾人かを、町の役人たちのところへひっぱって行き、大声でこう言った。『世界中を騒がせて来た者たちが、ここにもはいり込んでいます。』**」

（使徒一七・6）

世界中を騒がせた奴らがいる、と町の人々が言っている。誰のことだろう。私たちのことだろうか。いや、私たちは時に、あまりにも礼儀正しく、あまりにも慎重だ。人の感情を害さないよう、現状を変えないように最大の努力をする。その現状が悪魔の仕業であるにも関わらずだ。

「世界中を騒がせて来た者たちが、ここにも入り込んでいます。それをヤソンが家に迎え入れたのです。彼らはみな、イエスという別の王がいると言って、カイザルの詔勅（しょうちょく）にそむく行ないをしているのです。」（使徒一七・6〜7）

ときに、反対する人たちから多くのことを学べる。パウロとシラスのメッセージを彼らがどう受け取ったか、ここからわかる。反対者たちは、罪の赦しや癒しには一言も触れていない。「この者たちは、別の王がいると主張している」と言っている。どうしてだろう。パウロたちが神の王国（御国）を宣べ伝えていたからだ。地元の有力者たちを怒らせたのは、これがローマの王、カイザルの統治に逆らうものだったからである。

共産主義国の「鉄のカーテン」が存在していた頃、その向こうからやってきたクリスチャンから、こう聞いたことがある。「人々に、『イエスはあなたを愛しています』と語っても誰も怒らない。でも『イエスは王です』と言ったら牢にぶち込まれるんだ」

今の時代、私たちは、このメッセージを十分に伝えていないのではないだろうか。「もう一人の王がおられる」。これが御国の福音だ。「神の国が来ている。あなたはそこに入ることもできるし、入らないこともできる。でも、神の国が来るのは止められない」。なんと力強いメッセージだろう。しかし、必ずしも私たちが人気者になるとは限らない。

使徒たちがこのメッセージを語った時、いろいろなことが起こった。病人が癒され、悪霊どもが出て行った。しかし、そういう目的のために集会を開いたりはしなかった。使徒たちのメッセージはただひとつ、福音。つまり神の国の良い知らせだけを語ったのだ。

これに倣（なら）おう。私たちの最高の使命は、神の目的に自分自身を合わせること。つまり、神の王国を宣言し、それをもたらす働きをすることだ。

指示二　世界中を弟子とする

ふたつ目のガイドラインはこれだ。マタイ二八章一九節で、イエスが自分の教会に命じた最後の命令に、真剣に関わることだ。

私は一九四〇年九月十二日に英国軍に入隊した。希望してではなく徴兵された。母の誕生日だったので、日付をはっきり覚えている。軍で最初に上官から教わったのは、「私がやるようにするんじゃないぞ。私が言ったとおりにするんだ」。もっともな言い分だった。しかし、神の王国ではそうはいかない。自分が実行していないことを、他の人たちにするように言うことはできない。

軍隊では、大切なふたつの原則を学んだ。ひとつは、いったん命令が下されたら、権威を持つ者が解除するまで、命令はずっと有効ということ。ふたつ目は、その命令を知らなかったというのは、命令に従わなかったときの言い訳にならないということ。これは、神の軍隊にも当てはまる。教会で人が神の軍隊についての話をしているのを聞いて、つい笑ってしまうことがある。私がジョージ六世の軍隊に入った時、「あなたの命の安全は保証されています」という王の署名入り保証書はもらわなかった。

命が保証されていると考えて入隊する者はいない。イエスの軍隊も同じだ。命を失うリスクがある。我が身を守りたいなら、神の軍隊に入ろうとは考えないほうがいい。

イエスの言葉を見てみよう。

「わたしには天においても、地においても、いっさいの権威が与えられています。それゆえ、あ

なたがたは行って、あらゆる国の人々を弟子としなさい。そして、父、子、聖霊の御名によってバプテスマを授け、また、わたしがあなたがたに命じておいたすべてのことを守るように、彼らを教えなさい。見よ。わたしは、世の終わりまで、いつも、あなたがたとともにいます。」

（マタイ二八・18〜20）

すべての権威を持っているのは誰か。それを知ることが大切だ。部分的な権威ではなく、すべての権威だ。ただひとりの方にそれはある。その方の名はイエスだ。

このことを教え、弟子たちの権威についての疑問が全部消えてから、イエスは弟子たちに「すべての国の人々を弟子としなさい」と命じた。しかし、私たちはそうしていない。この命令から一九世紀が過ぎたが、その達成からは程遠い。

イエスは、「教会員を作りなさい」ではなく、「弟子を作りなさい」と言った。弟子とは、自分の人生と生き方によってイエスの教えを表し、人々に伝える。主のための働きは、弟子として始めるべきで、教会員としてではない。弟子を作り始めたら、遅かれ早かれ教会員も増えてくる。アメリカの教会の最大の問題は、弟子ではない教会員を作ってきたことだ。「あそこの教会のメンバーは、数千人もいる」という話を聞くと、「なるほど、いいね。で、そのうち弟子は何人だい」

と意地悪く尋ねたくなる。

弟子とは、訓練を受け、自分の命を投げ出す準備がある者だ。イエスは、「**自分の財産全部を捨てないでは、わたしの弟子になることはできません。**」（ルカ一四・33）と言った。すべてを捨てるとは、自分の命を捧げることと同義だ。

バプテスマを授けよ

イエスの言葉は続く。「**父、子、聖霊の御名によってバプテスマを授け**」なさい。ここにあるように、水のバプテスマを正しく受けることは、弟子になることを示している。弟子になりたくない、訓練を受けたくない、命を投げ出したくないと思うなら、バプテスマを受けるべきではない。新約聖書で、水のバプテスマは聖霊のバプテスマと同様に大切だ。重要で緊急を要することだ。イエスは言った。

「**全世界に出て行き、すべての造られた者に、福音を宣べ伝えなさい。信じてバプテスマを受ける者は、救われます。**」（マルコ一六・15〜16）

次のような間違いは犯したくないものだ。「バプテスマを受けたい方は、二週間後の礼拝に洗礼式があるので申し込んでください」と教会でアナウンスする。新約時代の人々の態度は違う。ピリピの看守の家を神が訪れた時、地震が起こり、看守と家族は神の力を体験したに違いない。家族全員が神を信じ、全員がすぐに夜が明けるのを待たずにバプテスマを受けた。（使徒一六・25〜34参照）

イエスが天に帰った後、弟子のピリポは、ガザに向かう途中で宦官に出会った。ピリポは彼の馬車に乗り込み、イエスのことを伝えたと聖書にある。ここに、ピリポがバプテスマについて語ったとは記されてない。しかし、水のある場所を通った時、宦官はこう言った。「ほら、ここに水があります。バプテスマを受けてはいけない理由がありますか？」ピリポは、その前に聖書の言葉を暗記して、聖書クラスに出て試験に合格したらいいよ、とは言わなかった。すぐに彼にバプテスマを授けた。

以前、素晴らしい宣教グループと一緒に働いたことがあるが、残念ながら彼らは、六週間のバプテスマ準備クラスを受けてからでないと、求道者にバプテスマを授けなかった。その結果、どうなったか。教育を受けた異教徒にバプテスマを授ける羽目になった。彼らは勉強はしたものの、救われることはなく、ただ宗教的になっただけだった。

水のバプテスマは、どこかの段階で受ける一ステップではない。救いの一部だ。ペンテコステの日、ペテロの福音のメッセージを聞き、信じたいと思った者たちはこう尋ねた。「私たちはどうしたらよいでしょうか。」ペテロはまず、「**悔い改めなさい**」と言い、そして、「**バプテスマを受けなさい…そうすれば、賜物として聖霊を受けるでしょう。**」（使徒二・37〜38）と教えた。

その日、一日で三千人がバプテスマを受けた。かなり骨の折れる仕事だっただろう。もし、使徒だけがバプテスマを授けたとしたら何時間もかかったはずだ。しかし、このことはエルサレム中の人たちに強い印象を与えた。これがイエスを信じる者になることなのだ、と。私たちは水をくぐらなくてはいけない。

彼らを教えよ

マタイ二八章はこう続く。「**また、わたしがあなたがたに命じておいたすべてのことを守るように、彼らを教えなさい。**」(20)。つまり、本当の意味で教えることは、バプテスマの前でなく、後に来る。弟子になることを決心した人に、訓練を始める。決心していない人を訓練しても、時間の無駄になってしまう。

私が以前出席していた、フロリダのフォート・ロダデールの教会は、「救われたければ、悔い改めてバプテスマを受けなさい」という方針だった。日曜日の礼拝では毎回バプテスマの準備が整えられていた。そして、水のバプテスマを受けた人たちのほとんどが、同時に聖霊のバプテスマも受けた。

「私にはどんな神の働きができますか」と尋ねられたら、私はいつもこう答える。「ただ、どこへでも神の王国（御国）の福音を携えて行く、と決心しなさい。恥ずかしがることはありません。優しい微笑みを浮かべていたら、人はあなたの言うことに喜んで耳を傾けますよ」

福音をすべての国々に届けるということを、黙示録から見てみよう。これは啓示を受けたヨハネが見た天の幻の一部だ。

その後、私は見た。見よ。あらゆる国民、部族、民族、国語のうちから、だれにも数えきれぬほどの大ぜいの群衆が、白い衣を着、しゅろの枝を手に持って、御座と小羊との前に立っていた。彼らは、大声で叫んで言った。「救いは、御座にある私たちの神にあり、小羊にある。」

（黙示録七・9〜10）

世界のすべてのグループの人々に福音を届けるまで、私たちの仕事は終わらない。

指示三　神の王国（御国）の民

これまで、聖書に書かれている神のふたつの主要な指示を見てきた。「地上で神の王国（御国）を宣言する」と「世界中を弟子とする」だ。三つ目の指示が続く。神は「御国の民」を求めている。もう一度、この聖句を見てほしい。

神が語っている三つ目は、神の王国に神の民が存在することだ。聖書を見てみよう。

というのは、すべての人を救う神の恵みが現われ、私たちに、不敬虔とこの世の欲とを捨て、この時代にあって、慎み深く、正しく、敬虔に生活し、祝福された望み、すなわち、大いなる神であり私たちの救い主であるキリスト・イエスの栄光ある現われを待ち望むようにと教えさとしたからです。キリストが私たちのためにご自身をささげられたのは、私たちすべての不法から贖い出し、良いわざに熱心なご自分の民を、ご自分のためにきよめるためでした。

（テトス二・11〜14）

神は、特別な自分の民を待っている。ひどい悪の状況――痛みや苦しみ、貧困といった恐ろしい状況――が続くのを、神はなぜ黙って見ているのだろう。神は言葉をひとつ発して止めることもできるが、ご自分の民が整うまではそうなさらない。

イエスは、花嫁の準備ができ共に王座に着くことを望んでいる。整えられた神の民、これが神の目的だ。その民は、すべての国々、部族、民族、国語から来ることになっている。聖なる、清められた民―すべての不法な行ない、自己中心の思いや野心から、イエスによって清められ、良い行ないに燃えている―そんな民を神は待っている。ヨハネは最初の手紙でこのことを語っている。

御父はどんなにすばらしい愛を与えてくださったことでしょう。世が私たちを知らないのは、御父を知らないからです。愛する者たち。私たちは、今すでに神の子どもです。後の状態はまだ明らかにされていません。しかし、キリストが現われたなら、私たちはキリストに似た者となることがわかっています。なぜならそのとき、私たちはキリストのありのままの姿を見るからです。キリストに対するこの望みを抱く者はみな、キリストが清くあられるように、自分を清くします。

（Iヨハネ三・1〜3）

イエスの現われを待つ者のしるしは、自分自身を清める、イエスと同じ清さまで清くするということだ。神の「清さ」の基準はひとつだけ、イエスだ。自分自身を清めようとしていない人が「私は主の再臨を待ち望んでいる」と言うのは嘘になる。主を待ち望んでいる証拠は、自分自身を清めようとしていることだ。どう自分を清めたらいいか、ペテロが教えている。

「あなたがたは真理に従うことによって、たましいを清め、偽りのない兄弟愛を抱くようになったのですから、互いに心から熱く愛し合いなさい。」（Ⅰペテロ一・22）

神の言葉の真理に従うことによって自分を清める。神秘的な体験を通してではない。聖書の言葉に従うことで清められる。その目的は、兄弟を誠実に愛することだ。

私も経験しているが、教会の兄弟姉妹を愛することは決して簡単ではない。私の愉快な友人ボブ・マンフォード（聖書教師）はこう言った。「神には変てこな子どもらがいることよ。君もそのひとりだから」。しかし、これが清さのしるしだ。神の民を心から愛すること。これを実行することが、主の再臨に備えることだ。

どう応答するか

モラルの低下、悪の増加、不法、暴力。聖書で予告されている終わりの時代の現象が、ことごとく現実になっているのを私たちは見ている。一方で、そのただ中に、勝利の約束があることも見てきた。

サタンの力が働く霊的な戦いの中に私たちはいる。悪魔崇拝、悪霊の働きがあり、偽預言者たちがいる。全ての背後には反キリストの霊があり、さまざまな事件を起こして毎日のニュースを騒がせる。社会的問題、秩序の問題、政治的、国際的な問題、そして退廃。

この状況に直面している私たちは、自分に問わなくてはいけない。「イエス・キリストの教会のための、神の目的とプログラムは何だろう」「私たちが果たすべき役割は何だろう」

あなたは、指をくわえて眺めているだけだろうか。確かに、あきらめてこう言うこともできる。「聖書で預言され、予告されたことが、今すべて起こっている。自分たちにできることは何もない。世界全体が悪の手に握られているのを認めるしかない。なんとか耐え忍んだらいいこともあるかもしれない。携挙に間に合うかもしれない。きっとなんとかなるだろう」

神は、私たちがそういう態度をとるのを望んでおられない。今こそ、イエス・キリストの教会が立ち上がり、勝利と力と権威を手に入れるときだと信じる。サタンが起こしている全てのことの目の前で、神の民がさらに大きなことができることを見せてやろう。

前の章で、サタンが力を見せつけた箇所を旧約聖書で見た。エジプトでパロは家臣に悪魔の力によって奇跡を行なわせた。しかし、神の使いのモーセは、パロの魔術師ができない奇跡を行った。サタンが働く時、神はより大きな働きを見せつけてサタンを引き下がらせる。

イスラエルの歴史では、バアルの預言者たちが生け贄を捧げて礼拝していた。そのとき、神は何をしただろう。預言者エリヤを送り、「私の預言者が私の名で祈る時に、バアルが決してできないことをしてみせよう」と言った。サタンが何かをしようとする時、神が黙ってそれを見ていることは決してない。

旗は高く上げられる

イザヤ書五九章の後半に「**敵が洪水のように押し寄せる時、主の霊は敵に対する軍旗を高く揚げる**」（19 NKJV）とある。

神は「敵が洪水のように来ることはない」とは言っていない。敵が来ると言っている。しかし、敵が来る時にこそ、主の霊が応えてくれ、旗が高く揚げられることが約束されている。

古代、軍旗を担ぐ旗手はキーパーソンだった。全ての兵士は、戦いの危機や混乱の時は必ず軍旗を見るように訓練される。軍旗の元に集まり、体制を立て直し、再び軍旗の元から反撃に出る。旗手が忠実に無傷で立っていれば、まだ勝利の可能性がある。しかし、旗手が傷を負って倒れ、軍旗が地に落ちたら、軍全体に混乱とパニックを招く。

イザヤ書一〇章は戦争を描写している。「**旗手が倒れる時のように**」（イザヤ一〇・18 KJV）とある。

兵士たちはどこに集まれば良いか辺りを見回し、どこに指示を出す旗手がいるか、戦いの指示は何かを見つけようとするが、旗が見えなくなると、軍隊は混乱して散り散りになる。

しかし、この日の戦いは違う。主の軍隊の民、私たちのために、聖霊自身が旗手となってくれる。もうだめだ、暗闇だ、敵が強すぎる、力尽きた、と神の民が感じ始めたその時、聖書が約束しているとおりに「聖霊が、生ける神の霊が、軍旗を高く揚げ」てくれる。その旗を見た神の民は、教団や神学や背景に関係なく、旗手の元に集まって反撃を開始する。

もうだめだと思った時、突然、神の霊が、驚くべき方法でその軍旗を高く揚げる。神を心から愛する人々がその旗のもとに集まって来る。神の民は敗北するのではなく勝利を収める。どんなに暗い時代が来ても、敵が洪水のように押し寄せてきても、神の霊は勝利の旗を高く掲げる。

このことが、すでに始まっているのを私たちは見ている。教派を超えた、教会一致のムーブメントだ。人が作り出した組織や、会議やプログラムではなく、神の主権のもとで聖霊が旗を掲げている。それは、神の真理の言葉の旗だ。再び神の民がこの旗手、聖霊のもとに集まってきている。

起きよ！

預言者イザヤが、神の民について語ったことをもう一度、確認しよう。

起きよ。光を放て。あなたの光が来て、主の栄光があなたの上に輝いているからだ。**見よ。やみが地をおおい、暗やみが諸国の民をおおっている。しかし、あなたの上には主が輝き、その栄光があなたの上に現われる。**（イザヤ六〇・1～2）

闇が暗ければ暗いほど、光は対照的に明るく輝く。神の臨在の光と、神を信じる民の上に宿る力の光だ。必ず暗い時代が来るが、そこで止まってはいけない。最も暗い時に、神がご自身の栄光を、ご自分の民の上に輝かせてくださることを宣言しよう。

私たちは、黙示録二十二章十一節で語られている舞台にたどり着いた。

イエスは「**不正を行なう者はますます不正を行ない、汚れた者はますます汚れを行ないなさい。正しい者はいよいよ正しいことを行ない、聖徒はいよいよ聖なるものとされなさい。**」と語っている。

妥協する時間は残されていない。義人、正しい者の道は光へ向かっていく。悪い者の道は暗闇へ向かって落ちていく。今は、まさに道がふたつに分かれる歴史的な時だ。多くの人が神の霊の働きに反対するのは、神を選ぶかどうかの選択を迫られるからだ。迫られても決断できない、決断したくないからだ。

あなたは今、自分の偏見、差別意識を手放そうとしているだろうか。不注意、肉的な思いや行ない、罪深さ、生ぬるい信仰から離れようと努力しているだろうか。神に従おうとしているだろうか。それとも、押し寄せる悪や暗闇に飲み込まれて、ハデスの門へと流されるまま身を任せているだろうか。

いまが決断するときだ。日曜日の教会ごっこや、宗教ゲームをしている場合ではない。自分の人生をかけた、責任の伴う働きが求められている。全てをかけるか、何もしないか。百かゼロかを選ぶ。中間はない。

終わりの時代の今を生きていることは、私たちの特権だ。世界が暗闇になっても、神を信じる者、神の幻を受け取る者、聖霊の声に耳を傾ける者には、終わりの時は栄光に満ちたものになる。起きよ！　栄光に輝く勝利の時がやってきている。

Derek Prince

著者紹介

デレク・プリンス（1915～2003）は、イギリス人の両親のもとインドに生まれた。イギリスのイートン校とケンブリッジ大学にてギリシャ語、ラテン語の研究者としての教育を受け、キングズ・カレッジで、古代および近代哲学の特別研究員となる。数か国語を習得し、ケンブリッジ大学やエルサレムのヘブライ大学でヘブル語とアラム語を含む数か国語を学ぶ。

第二次世界大戦中、英国陸軍に所属している間に聖書を学び始め、その後の人生を変えるイエス・キリストとの出会いを体験する。この体験を通して二つの結論にたどり着く。一つ目は、イエス・キリストが今も生きておられること、二つ目は、聖書は真実であり、現代においても実際的な価値を持つ本であるということである。この二つの結論が彼の人生の方向を大きく変え、その後、聖書の研究と神のみことばを教えることに人生を捧げることとなった。

彼の明確かつ簡潔に聖書を教える賜物は、これまでに何百万という人々の信仰の土台を建て上げる助けとなっている。彼の超教派的な聖書の教えは、人種や宗教的背景を超えてあらゆる人々に等しく実際的で、霊的成長に有益なものとなってきた。80冊以上の本を執筆し、600種類のオーディオ教材、110本のビデオ教材を手掛け、それらは100カ国語以上に翻訳され、出版されている。

デレクのラジオ放送は、アラビア語、中国語（アモイ語、広東語、標準中国語、上海語、スワトー語）、クロアチア語、ドイツ語、マダガスカル語、モンゴル語、ロシア語、サモア語、スペイン語、バハサ・インドネシア語、トンガ語にも翻訳され、現在も世界中の人々の人生に触れ続けている。

新刊案内

クリス・ゴア
アンジェラ・ブロック 共著
A4 判
定価 1760（税込）

この書は、特別な支援を必要とする子どもを持つ母親が書いた、混乱した日々の生活から、やがて癒しの希望を見つけ勝利を勝ち取っていく、壮絶な、そして、感動の証しの数々である。癒しは、イエス・キリストからくる。大砲が信じる者の上にも信じない者の上にものぼるように、この癒しは誰でも手にすることができる。本書から癒しを受け取る方法を学び、「治らない病」という嘘を捨て去ってほしい。しかし、忘れてはならないことは、障害があろうとなかろうと、子どもたちはひとり一人が、神から与えられたパーフェクトギフト（完全な贈り物）なのである。

マルコーシュ・
パブリケーション
月刊雑誌 HAZAH 購読受付中

http://malkoushu.com
〒 297-0017 千葉県茂原市東郷 1373
TEL 0475-36-5252 TEL 0475-36-5253

ロバート・ヘンダーソン
四六判
定価 1925（税込）

この世の法廷を経験せずに人生を終わる人が殆どである一方、天の法廷で扱われる事柄は、私たちに日常の細かな事柄に関係している。狡猾なサタンの手口に対抗する術を知らな変えれば、私たちの人生は惨憺たるものになるだろう。そのために、私たちは戦わなければならない。この書は、天の法廷の存在と、その関わり方を教えてくれる貴重なものである。

ダナ・デシルバ＆
テレサ・リブシャー
四六判
定価 1760 円（税込）

SOZO（ソーゾー）には、イエスが支払い、獲得してくださった自由を、完全に受け取るための素晴らしい鍵がある。救い・癒し・解放は、それぞれ別々に求めるものではなく、神様は私たちにその三つ全てを与えたいと願っておられる。この書には、過去二〇年にわたりSOZOミニストリーを受けた人々の人生が書かれ、その多くの証が読者の人生の打ち破りの源となるだろう。

お求めはインターネット、FAX、お電話にて

既刊案内

ビル・ジョンソン
四六判
定価 2,100 円＋税

神のご性格をより深く理解することができる良著。この書に書かれていることを実践すれば、あなたの使命が開かれる。何故、神が善であると知ることが使命や召命の全うに繋がるのか。それは、クリスチャンがイエスを代表する大使に召されているからである。

ビル・ジョンソン
四六判
定価 1,800 ＋税

本書を通して、読者が人生における「最優先事項」に出会い、それを無駄にすることなく実行に移すことができるように励ましをくれる良著。ミニストリーをするときの重要な原則も教えている。

既刊案内

ダニエル・コレンダ
四六判
定価 2,000 円＋税

聖霊によって与えられた驚くべき信仰と知恵をもって、神の声を聴きながら御心に熱く生きる秘訣を説く。数千万の人たちをキリストの救いに導いた力の秘密を垣間見ることができる一冊。

ジョン&ポーラ
サンフォード
四六判
定価 2,860 円＋税

癒しの中心的な力と必要性と悪循環を打ち壊す祈り、ミニストリーをする人の役割を紹介する。そして、カルトとの関わりの影響からの癒しのために出来ること、それは内なる人が変えられ、癒されるための神の力である。

ダニエル・コレンダ
文庫版
定価 759 円＋税

革命的な伝道者、ダニエル・コレンダによる「祈り」についての指南本。神とのパートナーシップの中に入り、祈りの革命に加わって御心を為そうと願う人々のために書かれた。暗唱としての「祈り」から、天上に届き地上を変える驚くべき「祈り」へと。私たちの祈りを、更なる深みへと誘う一冊。

ダニエル・コレンダ
文庫版
定価 630 ＋税

本書は、霊的荒野を生き延びるための「サバイバルガイド」です。悔い改めて福音を信じ天国の門をくぐるために私たちが心にとめるべきことを、「六つのコツ」として紹介した手軽に手に取れる一冊。

世界の終わりを聖書はどう預言しているか　　本体 1,700 円＋税

2021 年 8 月 25 日　初版発行

著者　デレク・プリンス

訳者　DPM ジャパン

発行所　マルコーシュ・パブリケーション

〒 297-0017 千葉県茂原市東郷 1373

電話 0475-36-5252　FAX 0475-36-5253

振替 00110-7-45754

印刷所　（株）プレイズ